ИСКУССТВО РАЗГОВОРА
НА ЛЮБУЮ ТЕМУ

Лесли Гамильтон
Брэндон Торопов

ИСКУССТВО РАЗГОВОРА НА ЛЮБУЮ ТЕМУ

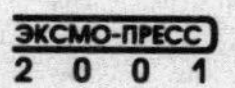

2001

ББК 88.5
Г 18

HOW TO IMPRESS ANYBODY
ABOUT ANYTHING
Sound smarter than you are about everything from
aerodynamics to zen buddhism

Гамильтон Л., Торопов Б.
Г 18 Искусство разговора на любую тему. — М.: Изд-во ЭКСМО-Пресс, 2001. — 288 с. (Серия «Психологический бестселлер»).

ISBN 5-04-006775-5

Каждому хочется произвести впечатление на собеседника, блеснуть эрудицией, а времени, чтобы ее приобрести, подчас катастрофически не хватает.

Перед вами уникальная в своем роде книга, которая дает краткое изложение самых разнообразных тем — от политики до физики, от истории и живописи до аномальных явлений и популярной музыки.

Освоив эту сжатую и конкретную информацию, вы сможете поддержать разговор в любой компании, всегда ощущать себя в курсе событий и без труда ориентироваться в огромном потоке информации, которая обрушивается на нас ежедневно.

ББК 88.5

ISBN 5-04-006775-5

Содержание

Благодарность

Лесли шлет благодарность...

Джиму, моему редактору и «*телефонному*» другу, который с безграничным терпением выслушивал меня и поддерживал, когда мне это было так необходимо. Городу Ипсвичу, самому чудному городишке на побережье. Ипсвичской публичной библиотеке — да умножатся ее фонды! Элизабет и Ким за ту радость, которую они мне подарили. Женщинам из общества «Шьем и готовим», самым мудрым женщинам, которых мне доводилось встречать в своей жизни. Пусть всегда будет свежим кекс на их столе! Компании «Видео-Барн», которая первой поверила в мою затею. Вильяму Фельдману, семейному ювелиру. Сквайру Роланду А. Дадни, главе Конной Гвардии Ее Величества, а также всем славным парням из его команды. И Мэнди Хоган, классной наезднице и отличному товарищу. Джиму «Гилли» Гилфорду, за то, что он уделил время, рассказывая мне, девчонке, о сигарах.

Я бесконечно благодарна всем. Гленни — за компьютерную поддержку. Марку, который знает обо всем, за мудрые советы... Марк, ты чуткий мужчина, — благодарю тебя за то, что дал мне надежду. Эндрю Коуту, моему первенцу. Моей матери, самому умному человеку в нашей семье. Фрэнсис — за замечательные цветы. Меган — за постоянную поддержку. Эмме — за прекрасный массаж. Ты всегда умела рассмешить меня, моя дорогая. Кэсси — за то, что отгоняла чаек от нашего дома, за то, что всегда сердечно обнимала меня и убирала свою одежду без лишних напоминаний. Мамочка любит вас, мои дорогие доченьки, куда сильнее, чем вы думаете.

И наконец Бобу, который знает меня, как никто другой, и по-прежнему любит меня. Благодарю тебя за каждый дружеский жест, за каждый поцелуй и то, что проделал за меня всю черновую работу. Может ли женщина мечтать о лучшем муже? Я всегда буду любить тебя, мой дорогой!

Брэндон хочет поблагодарить...

Мою жену Мэри; Джима Эллисона, Энн Бордер, Гленна Книккрема, Марка Вальдштейна, Генри и Мэри Трагерт. И всех тех, кого уже поблагодарила Лесли, особенно библиотекарей — их терпение никогда не перестанет меня удивлять.

Вступление

Раскроет ли наша книга все тайны жизни на Земле? Вдохновит ли она вас на интеллектуальные подвиги? Поможет ли она вам стать современным Сократом, Шекспиром, Лао Цзы или Стивеном Хокингом? Или просто высказаться уверенно и к месту? Или победить на телевикторине, и, возможно, даже получить дорогой приз? Поможет ли она вам пережить минуты триумфа во время важного разговора, когда без нашей помощи вам пришлось бы хранить гробовое молчание?

Ответ, как это часто бывает, неоднозначен. Эта книга поможет вам систематизировать и запомнить множество интересной информации по самым различным темам: от аэродинамики до дзен-буддизма. Мы предлагаем вам краткое резюме самых разных тем для разговора. Этой информации вполне достаточно, чтобы поддержать беседу, например, за коктейлем. Но, кроме того, мы хотели бы вдохновить вас на самостоятельные поиски интересных сведений из других источников. И, как знать, возможно, мы подтолкнем вас к исследованиям настолько серьезным, что вы станете следующим лауреатом Нобелевской премии, если только сумеете правильно распорядиться своими знаниями.

В конце каждой главы вы найдете простые советы, как выпутываться из затруднительных положений, если разговор заходит на конкретную тему. Скажем, вы ввязались в разговор о Биг-Бене, который ваши собеседники находят а) скучным или б) слишком много знают об этой теме. Вы же не хотите попасть впросак. Ваша цель — показать себя экспертом в обсуждаемом вопросе, показать, что вы знаете больше, чем это есть на самом деле. Вы должны уметь направить разговор в выгодном для вас направлении и продемонстрировать свои знания. Мы не призываем вас к интеллектуальному обману. Нет, мы просто хотим, чтобы вы выглядели хорошо информированным человеком во время беседы. И считаем, что это прекрасный способ узнать об интересующем вас вопросе еще больше. Кроме того, человек просто не может быть специалистом во всех областях.

Вильям Ф. Бакли как-то рассказал историю об Альберте Горе. Сенатор должен был выступать в его программе Бакли

«Горячая линия». Непосредственно перед началом передачи Гор наклонился к нему и честно предупредил о том, что знает о теме гораздо больше, чем сам ведущий. Бакли только засмеялся, и интервью прошло в непринужденной атмосфере.

О чем же следует помнить? Даже человек с энциклопедическими познаниями не может охватить всего. Было бы высокомерием забывать об этом. Но даже если тема разговора вам не слишком знакома, возможен конструктивный и взаимно полезный обмен мнениями. Не сдавайтесь, не поднимайте лапки кверху! Попробуйте вдохновить собеседника на монолог. Подбадривайте его своими замечаниями. А если разговор уж совсем зайдет в дебри, последуйте совету, который вы найдете в конце каждой главы. Попробуйте сменить тему и перевести беседу в более безопасное русло.

Помните, в большинстве случаев цель беседы не в том, чтобы выиграть очко в интеллектуальном споре, а найти возможность для интересной и полезной дискуссии. Кто знает, чему вы сможете научиться? В наш компьютеризированный, высокотехнологический век в это трудно поверить, но раньше люди целые вечера проводили в содержательных и познавательных беседах. Они обменивались впечатлениями, старались поделиться с другими своими знаниями и восхищением перед окружающим миром.

Считайте нашу книгу отправной точкой, чтобы узнать о многих предметах гораздо больше, чем расскажем вам мы. Пусть она станет подручным средством на тот случай, если вы неожиданно окажетесь в кругу знатоков и экспертов. И поводом улыбнуться, читая о серьезных вещах. Мы постараемся кое-что добавить и к вашим школьным познаниям.

Считайте нашу книгу пособием, подталкивающим вас к самостоятельным поискам информации. Познакомившись с темами, которые обсуждаются на этих страницах, вы сможете заняться ими более серьезно — не потому, что должны это сделать, а просто потому, что вам этого захочется. Признаемся, нам было весело и интересно работать. И скажем по секрету — мы совсем не эксперты. Просто мы постарались узнать обо всем побольше, поговорить со специалистами и выбрали то, что показалось нам наиболее увлекательным и полезным. Надеемся, что вас они тоже заинтересуют.

Итак, приступайте!

Лесли Гамильтон
и Брендон Торопов

Как произвести впечатление на окружающих своими познаниями о чем угодно

Истина заключается в осуществлении нашего «я», и нравственный закон требует следования законам нашего существования. Истина есть начало и конец, суть естественного бытия. Без истины физического существования быть не может. Именно поэтому человек моральный стремится к истине. Абсолютная истина неразрушима; будучи неразрушимой, она вечна. Будучи вечной, абсолютная истина существует сама в себе. Существуя сама в себе, она бесконечна. Будучи бесконечной, она необозрима и глубока... Поэтому Конфуций сказал: «Любовь к знанию сродни мудрости».

Цзе-Зе (китайский философ, внук Конфуция)

Удовольствие, которое мы получаем от знаний, не сравнимо ни с чем другим. Любым наслаждением можно пресытиться, когда увянет свежесть восприятия; и следовательно, все эти наслаждения — лишь видимость; пленяет нас в них только новизна.

Фрэнсис Бэкон

Мы утверждаем, что истина должна быть священной и неизменной... Всемогущий бог создал наш разум свободным; все попытки повлиять на него посредством наказаний, или тягот, или лишением прав гражданских, способны лишь выработать привычку к лицемерию и подлости... Но истина велика и рано или поздно выйдет на свет божий. Она способна противостоять заблуждениям, ей нечего бояться, если только человеческая ограниченность не обезоружит ее, не лишит естественного оружия — свободных споров и дебатов. Ошибки перестают быть опасными, если их можно свободно обсуждать и опровергать.

Томас Джефферсон.
Черновик Декларации
независимости

Как произвести впечатление на окружающих своими познаниями об

АЭРОДИНАМИКЕ И АВИАЦИИ

Доводилось ли вам летать? Нет, не в мыслях или во сне, а на каком-нибудь настоящем летательном аппарате, способном подняться хотя бы на две-три сотни над землей? Наверняка вы воскликнете: «Конечно!» Тогда поговорим о принципах аэродинамики, которые и позволили вам совершить это захватывающее путешествие.

Основные сведения

Аэродинамика — это отрасль физики, занимающаяся изучением сил, вызванных напряжением движущегося воздуха, а также любой жидкости или тела с движущимся в воздухе телом. Она сыграла важнейшую роль в развитии технологий передвижения по воздуху (создание самолетов и ракет). Авиация имеет дело с полетом как таковым, обычно на машине, которая тяжелее воздуха.

Практической целью тех, кто занимался аэродинамикой, было применение своих знаний для создания проектов, которые позволили бы физическому телу с наибольшей эффективностью двигаться в атмосфере Земли. Чтобы добиться этого, конструкторы спроектировали устройства обтекаемой формы, создающие в воздухе наименьшие завихрения вокруг движущегося объекта.

Когда самолет летит, на него действуют четыре основные силы. Первая — это подъемная сила, определяемая по уравнению Бернулли, утверждавшему, что воздух, проходящий над крылом особой конструкции, увеличивает свою скорость, а следовательно, снижает давление поддерживающей его атмосферы. Вторая сила — это собственный вес самолета. (Когда самолет находится в полете, подъемная сила и его вес равны между собой.) Третья сила — это сопротивление, которое отталкивает самолет назад и должно быть преодолено силой двигателя. И наконец, четвертая — ударная сила, вызываемая мгновенным обратным ускорением воздушного потока как в результате действия пропеллеров, так и работы реактивного двигателя, которые уменьшают давление перед самолетом.

Вы скажете, что пара слов об уравнении Бернулли для вас слишком мало? Это величайшее открытие человеческого гения, благодаря которому воздушные полеты стали реальностью, было сделано в XVIII веке швейцарским ученым Даниилом Бернулли. Он предположил, что скорость жидкости (да-да, тогда воздух рассматривали как жидкость) обратно пропорциональна ее давлению. Другими словами, чем быстрее движется воздух, тем меньшее давление он оказывает. Разница давления на верхнюю и нижнюю поверхности крыла самолета обеспечивает подъемную силу — но только потому, что крыло (обычно имеющее закругленную форму впереди, плоскую нижнюю поверхность и заостренную форму сзади) сконструировано таким образом, чтобы придавать воздуху, проходящему над ним, большую скорость. Результат? Возникает разница давлений над крылом и под ним, что создает подъемную силу.

Самолеты должны иметь хвост с вертикальными и горизонтальными элементами, чтобы стабилизировать полет. Они конструируются для достижения определенных скоростей. Теперь мы можем быстро передвигаться на большие расстояния и путешествовать по сему миру.

Что вы можете сказать

«Чтобы быстрее двигаться, самолет должен иметь более заостренную форму». (Вот почему некоторые сверхзвуковые самолеты имеют острый, игольчатый нос. Пилотам боевых тяжелых машин часто говорят, что они летают «как связка ключей от автомобиля».

«Сверхзвуковые самолеты — это классная штука! Они могут изменять свою конструкцию при полете на низких скоростях!» (Некоторые самолеты, сконструированные для того, чтобы двигаться быстрее скорости звука, имеют изменяемую геометрию крыла. Когда самолет летит на низких скоростях, крылья повернуты под большим углом к корпусу. Когда же скорость возрастает до сверхзвуковой, этот угол уменьшается.)

«Братья Райт прославились тем, что совершили первый управляемый, пилотируемый полет. Но беспилотный — он длился 90 секунд — произошел на семь лет раньше». (Благодаря работам Сэмюэля Лэнгли, американского ученого, сконструировавшего «модель № 5», которая перелетела через реку Потомак в 1896 году).

Когда вы хотите сменить тему...

Вы можете сказать, что братьям Райт было скучновато, ведь в их самолете не крутили фильмы. И после этого замечания можете перевести разговор на кино — или его отсутствие — на современных коммерческих рейсах. А можете посетовать на то, с каким упорством крупные авиакомпании старались вырезать из фильма «Человек дождя» сцены, связанные с авиакатастрофой.

Хотя, может, и правда это не тот фильм, который хочется посмотреть на высоте десяти тысяч метров над землей.

Мудрый совет

Некоторые люди очень боятся воздушных путешествий. Уважайте чувства и не старайтесь унизить. Особенно если им доводилось попадать в такие ужасные ситуации, в каких вы не бывали. Не стоит беспечно уверять, что полеты совершенно безопасны, человека, на собственной шкуре ощутившего, как самолет проваливается в воздушную яму, — вряд ли он отнесется к вам с симпатией.

Как произвести впечатление на окружающих своими познаниями об

АМЕРИКАНСКОЙ ИСТОРИИ

Американская история — это неисчерпаемая тема для разговоров. Точки зрения здесь могут быть совершенно различны, что вызывает ожесточенные споры. Мы предлагаем вам лишь краткое изложение основных фактов.

Основные сведения

Познания по американской истории нельзя считать полными, если вы ничего не знаете об ужасном угнетении исконного населения Америки в процессе «заселения» Соединенных Штатов, о несправедливости и жестокости рабовладельцев по отношению к черным рабам. Эти масштабные гуманитарные катастрофы относятся к тому периоду, когда европейские поселенцы тринадцати отдельных колоний начали борьбу против английского господства в конце восемнадцатого века.

В освободительной войне 1775—1783 годов американцы одержали победу над английскими войсками и завоевали политическую независимость. Возникло движение за пересмотр прежних условий объединения бывших колоний в единое государство. По новому договору была принята конституция (1787 год, см. также главу «Американская конституция») и создано федеральное правительство, основывающееся на идее равноправия и контроля. Герой войны Джордж Вашингтон, которому принадлежит честь победы над британцами, был избран первым президентом новой страны.

Нация быстро продвигалась на запад. Присоединение Луизианы (1803) — наиболее драматичная страница американской истории, но в результате территория государства удвоилась. Война 1812 года уходит корнями в торговый конфликт с Великобританией. Американцы сочли, что англичане перешли все допустимые границы, поддерживая индейские племена. И военные действия возобновились. Хотя несколько одержанных американцами побед пробудили у населения чувства патриотизма и уверенности, но конфликт не завершился ничем определенным. Аннексия Техаса (1845) — вот еще одна масштабная географическая экспансия. Она привела к войне с Мексикой, которую американцы легко выиграли (1848). Однако вопрос статуса Техаса послужил отправной точкой для нескольких внутренних конфликтов, в которых проявилось глубокое различие во взглядах на проблему рабства. Спор о том, быть ли новому штату «свободным» или «рабовладельческим», привел к мощным региональным конфликтам и к весьма серьезной политической нестабильности. С момента избрания Авраама Линкольна в 1860 году на пост президента южные штаты начали открыто говорить об отделении и о создании Конфедерации Штатов Америки. В 1861 году разразилась полномасштабная гражданская война (см. главу «Гражданская война в США»). Кровавый конфликт продолжался до 1865 года, когда силы Союза победили конфедератов. За Гражданской войной последовал период реконструкции, тяжелое время, сопровождавшееся оккупацией южных штатов, расцветом коррупции и некомпетентности в органах управления новыми штатами и двойственным отношением федеральных властей к угнетению черных рабов, чьи гражданские права теперь должны были гарантироваться конституцией страны.

А затем начался необычайный экономический рост и развитие промышленности. Основной вехой этого этапа стало строительство трансконтинентальной железной дороги в 1869 году. Война с Испанией в 1898-м привела к дальнейшему расширению территории Соединенных Штатов. В том же году были аннексированы Гавайские острова. Америка позже всех (в 1917 году) вступила в Первую мировую войну. До 20 годов продолжался период экономического роста, но в 1929 разразился первый финансовый кризис. Он стал предвестником серии рыночных потрясений, которые привели к продолжительной экономической катастрофе, известной как Великая Депрессия. Избрание Франклина Д. Рузвельта в 1933 году на пост президента послужило стабилизации ситуации, и возникла надежда на то, что его политика «нового курса» сможет вывести страну из социального и экономического коллапса. (Хотя отдельные успехи экономической политики Рузвельта были не столь велики, но его авторитет и способность внушить нации уверенность в завтрашнем дне трудно переоценить.)

США вступили во Вторую мировую войну после нападения Японии на Перл-Харбор в 1941 году. После победы союзных войск в 1945 США стали играть ведущую роль среди западных (некоммунистических) стран. Период тяжелого соперничества со странами коммунистической ориентации получил название «холодной войны». В это время американские войска оказались втянутыми в кровопролитный военный конфликт в Корее (1950—1953) и во Вьетнаме (начало 60-х — середина 70-х годов). «Холодная война» — это период противостояния и борьбы за влияние в мире между Соединенными Штатами и Советским Союзом. Он завершился в 1989 году, когда советская империя пошатнулась, а страны — союзники СССР в Восточной Европе одна за другой откололись от Варшавского договора. Соединенные Штаты остались единственной супердержавой. Однако обязанности мирового лидера определить трудновато, особенно в последнее десятилетие двадцатого века, несмотря на успех в военном конфликте с Ираком во время войны в Заливе (1991). В последнее время в американской социальной и политической жизни все большее значение приобретают экономические вопросы и вопросы охраны окружающей среды.

Что вы можете сказать

Стратегия разговора предельно проста — можете, не углубляясь, поверхностно высказать свое мнение о каком-либо периоде американской истории из приведенного ниже краткого обзора, но сделать это нужно с шармом и уверенностью, а затем ждите, когда ваш собеседник подхватит тему и выскажет свои соображения. Вот несколько полезных фраз относительно истории США.

«Разумеется, если бы Бенедикт Арнольд погиб в Саратоге, он вошел бы в историю как герой Войны за независимость». (Арнольд скончался позже, немало героически послужив своей нации. Он участвовал в том числе и в битве при Саратоге (1777). Многие полагают, что Арнольд предал интересы США в 1780 году, что приводит к недооценке его роли в военных действиях и героизма на поле битвы. После того как он перешел на сторону англичан, а его попытка сдать им Вест-Пойнт была раскрыта, Арнольд возглавил несколько жестоких нападений английской армии на позиции американцев в Вирджинии и Коннектикуте.)

«Многие путают Миссурийский Компромисс с Компромиссом 1850 года». (Но только не вы, разумеется. Вы-то знаете, что Миссурийский Компромисс был заключен между 1819 и 1821 годами и привел к тому, что штат Миссури стал рабовладельческим, а штат Мэн — свободным. Помимо этого, рабство было запрещено на территории, которую позже стали называть Канзасом и Небраской. В результате Миссурийского Компромисса на некоторое время задержалось отделение Союза свободных штатов, а вопрос рабовладения на новых территориях стал решаться населением.)

«Приверженность федерального правительства радикальным переменам в социальной сфере всегда была довольно рискованным делом. Обвинения Плесси против Фергюсона это неопровержимо доказали». (Здесь речь идет о решении Верховного Суда 1898 года, когда была одобрена доктрина «разделены, но равны», которая закрепила поражение в правах чернокожего населения. Такая ситуация сохранялась, до тех пор пока не было принято иного решения в деле «Браун против Совета по Образованию» в 1954 году.)

«Люди часто забывают, что в Америке дважды была вполне реальной «красная угроза». (Министр юстиции администрации президента Вудро Вильсона А.Митчелл Палмер стал причиной первого прецедента в 1919 году. Казнь анархистов Николы Сакко и Бартоломео Ванцетти в начале 20-х годов положила начало антикоммунистической истерии того периода.)

«Вы знаете, как это бывает — мы верим в то, во что хотим верить. К примеру, вы слышите, как люди говорят о том, что отец Джона Кеннеди купил для него голоса на выборах, а они, в свою очередь, основываются на сведениях о том, что Дэйли в Чикаго перетянул штат на сторону демократов в 1960 году». (Кеннеди для победы было необходимо 269 голосов. Даже если бы Иллинойс проголосовал за Никсона, Кеннеди все равно получил бы 276 голосов.)

Когда вы хотите сменить тему...

Это очень легко. Просто скажите о том, кто был президентом в обсуждаемый период, а затем сравните его проблемы с проблемами обитателей Белого дома в наши дни. Так вы непринужденно переведете разговор на современность.

Мудрый совет

Вы должны постараться выбрать одну конкретную тему, к которой всегда можете вернуться с полной уверенностью в своих силах, если речь заходит об американской истории. Я предлагаю остановиться на «холодной войне» (см. отдельную статью «Холодная война»).

Как произвести впечатление на окружающих своими познаниями о

БЕЙСБОЛЕ

Точно так же, как есть люди-кошки и люди-собаки, есть люди, которые любят бейсбол и те, которые... ну, скажем так, его не любят. Если вы относитесь к последней категории, но вынуждены проводить много времени в обществе страстных болельщиков, то вам наверняка хочется узнать что-нибудь, чтобы не выглядеть полным профаном. Вот вам основные сведения об этой чрезвычайно популярной в США игре.

Основные сведения

Атрибуты бейсбола — мяч, бита и перчатки. Своими корнями бейсбол уходит в старинную английскую игру. Утверждения о том, что это сугубо американское изобретение, совершенно беспочвенны. Этот спорт стал необычайно популярен в США, что и создало ему ореол национальной американской игры. Но даже в наше время бейсболу приходится делить лавры первенства с профессиональным футболом и баскетболом (см. отдельные статьи «Футбол» и «Баскетбол»). Две команды вооружаются битами и выходят на поле. Команда из девяти игроков, которая находится в обороне, должна выдержать удары нападающей команды три раза, затем они меняются ролями. Так повторяется до тех пор, пока не пройдет по меньшей мере девять полных циклов (иннингов). Хотелось бы сказать, что правила в бейсболе чрезвычайно просты, что делает эту игру привлекательной не только для профессионалов, но и для любителей, однако это не так. Вместо того чтобы в деталях рассказывать вам о правилах — чему можно было бы посвятить целую книгу, — мы предпочтем остановиться на собственных соображениях, а затем предложим вам несколько замечаний относительно популярности игры, ее происхождении и последних тенденциях.

Бейсбол очень популярен в таких странах, как Япония, Куба и Доминиканская республика, но только в США он превратился в настоящую религию. Эта игра обеспечивает идеальный баланс между личной инициативой и командными усилиями. Каждый должен думать о себе как о члене команды, так как добиться победы без стараний всех сообща просто невозможно. Но в то же время каждому участнику выпадает свой звездный час —

шанс встать против питчера противника, подающего мяч, один на один.

Те, кто не увлекается бейсболом, часто считают его скучным. Отдельные этапы этой игры идут довольно спокойно, без спешки и суеты (особенно в современной форме бейсбола, когда игроки ищут любую возможность для того, чтобы выйти из зоны отбивающего мяч и перестроиться еще до следующей подачи). Но медлительность игры отражает всю интригу, которая достойна великого романа или эпического фильма, и в чемпионате страны или в играх мирового ранга страсти достигают такого накала, какой и не снился другим видам спорта. В течение сезона команда проводит 162 игры — против 16 в футболе. Болельщики становятся свидетелями потрясающе напряженных завораживающих поединков, которые решают судьбу усилий не одного дня, даже не одного сезона, а недель, месяцев, годов предыдущих состязаний. (Если вы болельщик «Бостон Ред Сокс» или «Чикаго-клаб», то можете быть уверены, что каждая неудача вашей команды в чемпионате страны связана с эмоциональными перегрузками десятилетий борьбы за победу в мировых чемпионатах.)

Вот несколько основных событий из истории бейсбола, о которых вам следовало бы знать.

1903 год — первый мировой чемпионат, в котором участвовала Американская лига (АЛ) и Национальная лига (НЛ). «Бостон Пилгримз» из АЛ играла против «Питтсбург Пайратс» из НЛ. Прежде чем выйти против Американской лиги (которую еще называли «лигой юниоров»), чемпионы национальной лиги играли с основными командами Американской ассоциации. Когда ассоциация распалась, команды национальной лиги стали играть за кубок Темпл.

1927 год — полевой игрок «Нью-Йорк Янкиз» Бэйб Рут совершил 60 пробежек, установив рекорд, продержавшийся до 1961 года. Он был игроком команды, которая разгромила «Питтсбург Пайратс» в играх мирового чемпионата и до сих пор считается величайшей командой в истории Главной лиги.

1951 год — удачное выступление Бобби Томсона в игре против «Доджеров» принесло победу в лиге команде «Нью-Йорк Джайнтс». Эта игра завершила один из величайших этапов развития бейсбола.

1969 год — Команда «Миракл Метс», возглавляемая питчером Томом Сивером, которая так долго была настоящим посмешищем в Национальной лиге, проиграла команде «Балтимор Ориолз» в играх мировой серии.

1994 год — Забастовки игроков, отказавшихся играть в межсезонье (что было само по себе беспрецедентно), стоили Национальной лиге потери множества болельщиков.

Что вы можете сказать

Бейсбольные болельщики любят говорить об истории игры. Вот кое-какие замечания и мнения, которые вы можете вставить во время подобного разговора.

«Правила замены игроков лишают игру интриги». (Это новшество Американской лиги, которое позволяет внеполевому бэттеру (отбивающему) заменять питчера (бросающего) каждый раз, когда он собирается отбивать. В Национальной лиге это правило под запретом. Из питчеров обычно получаются неважные бэттеры. Пуристы — к которым причислят и вас, если вы выскажете такое мнение, — считают, что это правило упрощает игру и лишает ее интриги.)

«Великая династия «Нью-Йоркских Янки» на самом деле была группой династий, которых изобретала сама команда, как только в этом возникала необходимость». (В истории этой команды существуют довольно продолжительные пробелы — с 1929 по 1931 и с 1944 по 1946 год они не играли.)

«Один из наиболее известных рекордов в бейсболе — 714 пробежек Бэйба Рута — в наши дни был бы совершенно другим». (Рут играл в 1918 году, с тех пор правила основательно изменились.)

Когда вы хотите сменить тему...

Начните разговор о героическом сезоне 1947 года и о Джекки Робинсоне. Робинсон выстоял, несмотря на свист и угрозы. Это был первый чернокожий игрок двадцатого века. Выступив за «Бруклин Доджерс», он положил начало новому этапу расовых отношений в США. Таким образом вы можете перевести разговор на межрасовые проблемы, изменения в социальной жизни или привести примеры выдающейся личной храбрости.

Мудрый совет

Не упоминайте имен Билла Бакнера или Боба Стэнли в разговоре с болельщиками «Ред Сокс», если только вы не хотите вызвать потока стенаний. (Два этих бостонских игрока стали причиной проигрыша команды в 1986 году.)

2 Зак. № 2842 Гамильтон

Как произвести впечатление на окружающих своими познаниями о

БАСКЕТБОЛЕ

Эта игра была изобретена доктором Джеймсом Найсмитом в 1891 году, правила окончательно разработали в 1892, в 1936 году баскетбол стал олимпийским видом спорта, и мир уже больше ста лет наслаждается этой великолепной игрой. По популярности баскетбол уступает лишь футболу. Широкое распространение этой игры объясняется относительной простотой правил, стремительностью, легкостью адаптации практически к любым условиям, в том числе и к сезонным — в баскетбол можно играть и летом, и зимой.

А теперь немного общих сведений на тот случай, если вы имеете слабое представление, о чем, собственно, идет речь.

Общий обзор

Цель игры — забросить большой круглый мяч (примерно 30 дюймов в диаметре) в металлическую корзину. Две корзины расположены по оба конца прямоугольного поля. Пять наших парней играют против пяти парней другой команды. Если вы хотите перевести мяч на другую половину поля, вы должны либо передать его игроку своей команды, либо двигаться самостоятельно, стуча мячом об пол (дриблинг). Можете взять мяч обеими руками, а затем начать дриблинг — но если после дриблинга вы снова возьмете мяч двумя руками, то должны будете либо сделать пас, либо бросить мяч в корзину. С мячом в руках не разрешено делать шаги, иначе он переходит другой команде. В закрашенном прямоугольнике под корзиной команды-противника нельзя находиться более трех секунд, если в данный момент мячом владеет ваша команда. Вы можете выйти за широкую полукруглую линию, проведенную вне прямоугольника, и бросить мяч в корзину, если хотите принести своей команде три очка вместо двух — и если вам повезет. Не разрешается толкаться или хватать соперников, иначе ваша команда понесет наказание — либо штрафной удар, либо передача мяча. (Теоретически баскетбол не является контактным спортом, и любое умышленное или неосторожное столкновение с противником — это нарушение. Но теория одно, а практика совсем другое.) Если злоупотреблять жесткими приемами, то можно вообще оказаться удаленным с поля. (По профессиональным правилам удаление следует после шести нарушений.)

Это основы баскетбола. Их можно усвоить за пару минут... Но целой жизни мало, чтобы стать асом.

В Соединенных Штатах в баскетбол играют профессионалы и студенты. (Разумеется, я не говорю о многочисленных любительских командах и подростках, занимающихся баскетболом на школьных дворах.) В наши дни и профессиональные, и университетские команды имеют бесчисленных поклонников и страстных болельщиков. В некоторых штатах (например, в Индиане) университетский баскетбол пользуется даже бóльшим вниманием и уважением, чем религия.

В нашей книге мы ограничимся рассмотрением лишь профессионального баскетбола. Национальная баскетбольная ассоциация (НБА) была основана в 1949 году. Долгие годы игры команд, входящих в ассоциацию, отличались малой результативностью и были, на взгляд современного болельщика, невероятно медлительными. Ситуация изменилась лишь в последние годы, особенно с изобретением баскетбольных часов и с приходом Уилта Чемберлена — высокого, необычайно одаренного спортсмена, который произвел настоящую революцию в этом виде спорта. Однажды он принес своей команде 100 очков. После него баскетбол стал игрой великанов. В то же самое время и интерес болельщиков к игре начал стремительно расти. Влияние Чемберлена на баскетбол поистине огромно. Игра стала намного острее и зрелищнее. Можно сказать, что приход Чемберлена в баскетбол — это событие, по своему значению не уступающее созданию профессиональной женской лиги в 1997 году. Уилта можно сравнить лишь с Бэйбом Рутом, великим бейсболистом. Это фигура, которая разделила баскетбол на две эпохи — до Чемберлена и после Чемберлена.

Баскетбол — командная игра, но в наше время болельщики увлекаются достижениями суперзвезд, и тому есть веские причины. Такие звезды существуют во многих видах спорта, но в баскетболе они особенно запоминаются. Помимо уже упомянутого Чемберлена, нужно назвать Билла Расселла (основателя бостонской династии в 50—60 годы), Карема Абдул-Джаббара (результативнейшего игрока и большого мастера класть мяч в корзину в прыжке), Джулиуса Ирвинга (начавшего карьеру в Американской баскетбольной ассоциации и доведшего искусство передачи мяча до невероятной виртуозности), Мэджика Джонсона (уникального игрока и настоящего бомбардира «Лос-Анджелес Лейкерс» в 80—90 годы), а также Лэрри Берда (жесткого, стремительного, непредсказуемого лидера команды Бостона в те же годы). Ну вот, кажется, никого не пропустил? О да, конечно. На случай, если последние лет десять вы провели в другой солнечной системе, я напомню вам еще одно имя — Майкл Джордан, выдающийся игрок «Чикаго Буллз». Джордан, который привел свою команду к победе в пяти чемпионатах НБА, умел зарабатывать деньги как на баскетбольной площадке, так и в шоу-бизнесе и рекламе. Его признали величайшим игроком всех времен и народов. И это не пустые слова. Джордан действительно самый выдающийся игрок за всю историю баскетбола.

Что вы можете сказать

«О, теперь Олимпийские игры стали настоящим испытанием для американских баскетболистов». (Раньше к участию в Олимпийских играх профессионалов не допускали.)

«Как можно забыть финал 1972 года, когда команда США играла с русскими?» (Игра закончилась не в пользу американцев, но результат этот до сих пор вызывает сомнения. Рефери нашел повод добавить русским дополнительное время.)

«Какую из команд НБА я лично считаю самой значительной? Может быть, «Кельтов» 86-го года — тогда там играли Берд, Уолтон, Макхейл и Пэриш. Но мы с вами говорим о выдающейся команде, а не о команде с выдающимися игроками». (В 1986 году команда Бостона действительно представляла собой великолепный, прекрасно отлаженный механизм — замечательный коллектив игроков, которые взаимодействовали друг с другом как единое целое. Тренером команды был К. С. Джонс, — возможно, вам это пригодится.)

Когда вы хотите сменить тему...

Скажите, что Чемберлен был уникальным игроком в истории баскетбола. Профессиональным баскетболистам не всегда удавалось справиться с ним. Бытует рассказ о том, как пораженный судья как-то раз решил, что Чемберлен нарушает правила, — потому что ему никогда не доводилось видеть подобной игры.

После этого можете перевести разговор на других людей, прославившихся на каком-нибудь поприще. (Советую вам выбрать Пабло Пикассо, Махатму Ганди, Уолта Диснея, Джона Леннона или Альберта Эйнштейна.)

Мудрый совет

Не начинайте неумеренно восхвалять Майкла Джордана, или, например, Мэджика Джонсона, или Карема Абдул-Джаббара. Не стоит величать их лучшими всех времен и народов игроками, если вы находитесь в Бостоне. Полагаю, жители этого города назовут вам совершенно другие имена. Мне говорили, что бостонцы сентиментальны и чувствительны. А может, это просто слухи...

Как произвести впечатление на окружающих своими познаниями о

СИГАРАХ

Сигары сумели повернуть нашу культуру вспять. В эпоху борьбы за здоровый образ жизни закурить «Корону» считается очень стильным.

Поскольку сигары вновь стали весьма популярны, даже больше, чем раньше, неплохо было бы научиться курить их самому и уметь отличить в задымленной комнате истинных ценителей сигар от простых любителей. Беглый взгляд на тему даст ответы на некоторые вопросы: как различить, что именно курят люди, как правильно курить сигару и что можно сказать, пока кто-нибудь не откроет окно.

Общий обзор

На протяжении почти четырехсот лет сигары являются символом богатства, власти и высокого положения — не говоря уже о приверженности ко всему лучшему в жизни. В 60-е годы сигары стали символом принадлежности к высшему обществу, но порой это звучало совсем не комплиментом. Дорогие, скрученные вручную сигары превратились в толстую коричневую трубку из душистых табачных листьев, хотя раньше они были гораздо тоньше и меньше. А затем пришла эпоха раковых заболеваний. Люди начали беспокоиться о своем здоровье и стали с подозрением смотреть на табак и алкоголь. Но сигары сумели пережить этот период. Даже Джон Кеннеди любил выкурить сигару.

Все развивается по спирали. Белуши, Шварценеггер, Уиллис, Сталлоне — буквально все в Голливуде увлеклись сигарами. Они начали не просто обзаводиться ящиками, где поддерживается определенная влажность, а строить специальные комнаты — и открывать собственные курительные клубы. Если вы внезапно окажетесь в таком месте, то неплохо было бы знать, чего от вас ждут окружающие. Вот несколько советов относительно того, как выбирать и курить сигары.

Скрученные вручную сигары вызывают такое же восхищение, как классический стих, изысканное вино или картина. К ним надо относиться с почтением. (Большинство знатоков признают, что сам процесс курения является уже вторичным.) Ключевое слово здесь — «медленно». Любые ваши действия в отношении сигары должны производиться задумчиво и неспешно.

Огромную роль играют предварительные ритуалы. Поскольку сигары ассоциируются с образом настоящего мачо, я бы посоветовал вам не выбирать слишком тонкую. Лично я предпочитаю «Macanudo». Это мягкие, но не самые изысканные сигары. Женщины шикарно выглядят с тонкой панателой или очень маленькой «Короной». Если вы хотите произвести впечатление, можете выбрать «Lonsdale», они гораздо крупнее. Но помните: с толстой сигарой в руках у вас будет глуповатый вид. Соразмеряйте свои желания.

В гостях вам могут предложить выбрать сигару по вкусу хозяина из специального ящичка. Внимательно рассмотрите ее: обертка должна быть нетронутой и красиво блестеть.

Кому понравится, если вы перетаскаете все конфеты из предложенной вам коробки. То же самое справедливо и по отношению к сигарам. Советую вам внимательно рассмотреть их, выбрать одну и закурить. Настоящие ценители способны угадать хорошую сигару с одного взгляда. Будьте терпеливы, раскуривая сигару. Сначала разомните ее в пальцах, лишь затем зажигайте.

Что вы можете сказать

«Вы не находите, что просто держать сигару не меньшее удовольствие, чем курить ее?» (Прежде чем раскурить сигару, помните ее в пальцах, поднесите к уху, чтобы послушать, не пересушен ли табак, потом поводите ею у носа и глубоко вдохните. Все эти действия чисто ритуальные, но они покажут, что вы умеете ценить качество.)

«О, какой великолепный лист! Прекрасно блестит!» (После этой фразы одобрительно кивните. Выбирая сигару, проследите, чтобы на внешнем листе не было слишком много прожилок — от них неприятные ощущения на губах.)

Находясь в табачном магазине с человеком, на которого вы хотите произвести впечатление, можете спросить: «Что сегодня есть хорошего?» (Главным индикатором качества сигары является ее цена. Правда, высокая стоимость не всегда означает соответствующее качество, но в большинстве случаев так оно и есть.)

«Я обнаружил, что маленькая губка, пропитанная коньяком, в коробке поддерживает необходимый уровень влажности и улучшает аромат табака». (Чтобы показать свои познания в этом вопросе, возьмите сигару горизонтально и слегка ее сожмите. Если сигара кажется вам губчатой, значит, в коробке слишком высокая влажность. Такую сигару будет труднее разжечь.)

«Моя любимая гильотина для сигар — «Магнум 44». (Да, да, эти устройства действительно называются гильотинами. На рынке есть много приспособлений для обрезания кончика сигары. Откусывать кончик — признак дурного тона. Во-первых, это портит зубы, а во-вторых, атмосфера салунов Дикого Запада не везде приветствуется. «Магнум 44» выглядит как пуля, но одним легким поворотом превращается в маленький элегантный прибор.)

А вот еще несколько замечаний, которые вы можете сделать, куря хорошую сигару.

«Какой изысканный оттенок!»

«Мне кажется, я чувствую легкий привкус цитрусовых. Очень свежее решение!»

«Прекрасный пряный вкус с легким оттенком какао».

Когда вы хотите сменить тему...

Попробуйте сказать что-нибудь вроде: «Кажется, Марк Элин написал, что «курильщик сигар подобен изощренному любовнику или мастеру игры на волынке — это спокойный человек, неторопливый и уверенный в себе». Если эта фраза не истинный гимн сигаре, то я уж и не знаю, что еще можно сказать. Но полагаю, что лучше быть изощренным любовником, чем искусным игроком на волынке, вы не находите?» Надеюсь, вам повезет, собеседники переведут разговор на секс, чего вы, собственно, и добивались.

Мудрый совет

Не позволяйте никому помогать вам раскурить сигару. Среди знатоков такой жест означает зависимость от другого человека. Не упоминайте о том, что самые лучшие сигары скручиваются на бедрах молодых кубинских девственниц. Эта сказка широко распространена, но люди осведомленные знают ей цену.

Как произвести впечатление на окружающих своими познаниями о

ГРАЖДАНСКОЙ ВОЙНЕ В СОЕДИНЕННЫХ ШТАТАХ

Вы увлекаетесь историей? Значит, должны помнить, что это наиболее значительное событие в истории США. (Если забыли, загляните в статью «Американская история»).

Когда на экранах телевизоров в Америке несколько лет назад с успехом шел документальный сериал о Гражданской войне, комментатор высказал мнение о том, что понимание сущности Гражданской войны совершенно необходимо для понимания судьбы США в целом. И он был абсолютно прав. А теперь, когда я поднял планку на невероятную высоту, пришло время дать вам необходимую информацию о наиболее значительных событиях Гражданской войны. Ну, хорошо, может быть, и не всю, которая вам нужна, но ее достаточно, чтобы удовлетворить любопытство и позволить вам прилично выглядеть в компании друзей, на вечеринке в офисе или на обеде с новым знакомым. Во всяком случае, постараюсь помочь вам.

Общий обзор

Давно обсуждаемый и вызывающий ожесточенные споры вопрос рабства занимает немаловажное место в современном понимании Гражданской войны (которую называют также Войной между штатами). Вопрос о том, почему одному американцу позволено владеть другим, постоянно вызывал напряженность между северными и южными штатами еще задолго до войны. Однако важно помнить, что права чернокожих рабов не были основной проблемой лидеров Севера и Юга в начале конфликта. Южане, или конфедераты, требовали сохранить права штатов — в частности, право проводить независимую политику — как в отношении института рабства, так и в отношении их собственного статуса как членов Союза. (Другими словами, лидеры южан полагали, что они имеют право отделиться от Соединенных Штатов.) Северяне, или сторонники Союза, боролись за принцип единой и неделимой нации и выступали против права любого штата законным образом отделиться от Союза. Равноправие рабов в начале конфликта было вторичным вопросом даже для северян, однако с развитием войны этот вопрос приобрел важное значение.

Ко времени победы Севера в 1865 году южные штаты были полностью опустошены, свыше шестисот тысяч американцев погибли во время этого конфликта. Генералы Улисс С. Грант (Север) и Роберт И. Ли (Конфедерация) стали основными фигурами в Гражданской войне.

Вот краткая хронология.

1860 год. Республиканец Авраам Линкольн, разделивший партию демократов, избран президентом с минимальным перевесом голосов избирателей. Южная Каролина решительно отделилась от Союза, выбрав путь, который следом за ней предпочли еще шесть южных штатов. Все это произошло к моменту инаугурации Линкольна. А к концу года от Союза решили отделиться еще четыре штата. Несмотря на прокатившуюся по стране волну раскола, судьбоносные выборы 1860 года не говорили о том, что к власти пришли убежденные противники рабства. Линкольн просто считал рабство морально недопустимым, высказывал свое мнение и подвергался критике.

1861 год. Южные штаты сформировали Конфедерацию Штатов Америки. Линкольн стал настоящим президентом. Конфедераты захватили федеральный форт Самтер в Южной Каролине. Следом за этим их армия одержала еще одну победу в первом сражении на реке Бул-Ран.

1862 год. Необычайно кровавая, но бесполезная битва при Шилохе привела к крупным потерям с обеих сторон. Однако она стала залогом будущих побед северян на Западе. Тем временем триумф армии конфедератов во втором сражении на реке Бул-Ран был полностью перечеркнут победой союзных сил при Антиетаме. Генерал Джордж Макклеллан проявил нерешительность и не смог атаковать отступающих конфедератов. Линкольн, который однажды уже критиковал генерала, полностью потерял веру в него.

1863 год. Линкольн официально провозгласил «Декларацию об освобождении», по которой рабы объявлялись свободными. Декларация, не оказавшая никакого влияния на рабовладельческие штаты, которые не собирались отделяться от Союза, ни на рабов, находящихся на территории, занимаемой конфедератами, тем не менее сыграла важную роль в истории Гражданской войны. Она оказала позиции северян мощную моральную поддержку. По своему значению этот документ можно приравнять к объявлению независимости от Англии и Франции в восемнадцатом веке. Триумфальная победа северян в битве при Геттисберге, вторжение армии генерала Ли на Север стало поворотным пунктом в войне. После длительной осады армия Гранта захватила Виксберг.

1864 год. После битвы при Колд-Харборе генерал Ли отступил к столице Конфедерации, Ричмонду. Генерал армии северян Вильям Текумсе Шерман захватил и опустошил Джорджию, заняв столицу штата, Атланту.

1865 год. Генерал Ли сдался Гранту при Аппоматоксе. В Вашингтоне был убит Линкольн.

После войны было сформировано мощное центральное правительство, рабство объявили вне закона, вопрос отделения решился раз и навсегда, хотя и исключительно кровавым путем, разногласия между Севером и Югом сохранились. Эта жестокая война и период оккупации южных штатов северянами, называемый Реконструкцией, стала главным историческим событием, навсегда разделившим страну на два лагеря. Последствия этого разделения ощущались еще очень долгое время.

Что вы можете сказать

«Я полагаю, что о Гражданской войне можно сказать только одну неоспоримую вещь — она была самым кровавым событием в истории Америки, но нужно помнить, что от болезней и инфекции погибло больше солдат, чем от ран на поле боя». (Причем в Гражданской войне погибло американцев больше, чем во время любой другой войны, включая и обе мировые.)

«Разве какие-нибудь еще выборы можно сравнить с выборами 1864 года?» (Линкольн выдвинул свою кандидатуру на переизбрание. Шла война. Его соперником был генерал, постоянно причинявший Линкольну головную боль, — Джордж Макклеллан.)

«Хотя после войны намерения Линкольна трактовались по-разному, его не следует считать убежденным аболиционистом. Его главной целью было сохранить Союз, а не освободить рабов». (Как уже отмечалось выше, решение Линкольна провозгласить «Декларацию об освобождении» было скорее политическим и дипломатическим маневром, чем принципиальной позицией противника рабства. Этот документ не оказал никакого влияния на судьбу рабов в пограничных штатах, оставшихся в Союзе, — в Делавере, Кентукки, Мериленде и Миссури.)

Когда вы хотите сменить тему...

Спросите своего собеседника, какое событие в истории США можно поставить по значению хотя бы близко к Гражданской войне. (Таких событий немного, но вы сможете плавно перейти к другой теме.)

Мудрый совет

Несмотря на то, что после окончания войны прошло уже почти полтора века, северяне и южане по-прежнему расходятся в оценке этого события. Следуйте простому правилу: никогда не настаивайте на своей точке зрения. Вы можете затеять ссору и испортить отношения с человеком, совершенно того не желая.

Как произвести впечатление на окружающих своими познаниями о

«ХОЛОДНОЙ ВОЙНЕ»

«Холодная война» — это конфликт, который не привел к открытому военному противостоянию, но характеризовался усилением враждебности и подозрительности с обеих сторон. «Холодная война» — это длительный период напряженности между Соединенными Штатами и Советским Союзом (или, как часто говорили на Западе в пятидесятые годы, с монолитным коммунистическим блоком), начавшийся после окончания Второй мировой войны. Уверен, вы прекрасно помните, чем он закончился, — но многие ли из вас знают о том, что случилось до того, как советская империя рухнула и Берлинская стена была разрушена?

Общий обзор

1945 год. Соединенные Штаты нанесли поражение Японии, сбросив атомные бомбы на города Хиросиму и Нагасаки. После этого начался послевоенный период соперничества в военной области. Несмотря на то, что во время войны Советский Союз и США были союзниками, по ее окончании они превратились в непримиримых врагов. Основным пунктом разногласий стало мнение о судьбах послевоенной Европы в целом и Германии в частности. Период взаимной напряженности и недоверия (настороженность в отношениях между Москвой и Вашингтоном существовала и во время войны) начался.

Поводом к резкому ухудшению ситуации послужил тот факт, что администрация Трумэна оказала поддержку некоммунистическим силам в Греции (1947 год) во время разгоревшейся в этой стране гражданской войны. Советское влияние на правительства Восточной Европы чрезвычайно беспокоило Запад, но на открытое противостояние никто не шел. Усилившееся влияние Советов в других частях света также беспокоило западных лидеров, склоняющихся к политике сдерживания.

Американские стратеги часто считали коммунистическое движение более глобальным, монолитным и единомыслящим, чем оно было на самом деле. Советское влияние на государства Восточной Европы привело к тому, что западные страны стали чрезвычайно быстро развиваться в военном и экономическом плане. Американцы организовали НАТО (Североатлантический блок), Советский Союз ответил подписанием Варшавского Договора. В 1949 году Советы взорвали собственную атомную бомбу, и гонка между супердержавами началась. Каждый старался превзойти другого в создании оружия массового уничтожения.

«Холодная война» постоянно балансировала на грани превращения в настоящую «горячую». Ядерные арсеналы росли, и это заставляло всех нервничать. Вот некоторые особенно опасные моменты «холодной войны».

- Берлинский «воздушный мост» (1948—1949). Самолеты западных стран доставляли грузы блокированным жителям Западного Берлина. Берлин оставался разделенным городом. Лишь в период с 1970 по 1973 год было заключено несколько соглашений, утвердивших границы и полномочия противодействующих сторон.
- Решение лидеров Советского Союза о вторжении в Венгрию (1956) и Чехословакию (1968) с целью подавления антикоммунистических выступлений в этих странах.
- В 1960 году в Советском Союзе был захвачен американский самолет-разведчик (по словам администрации, «проводивший метеорологические исследования»), нарушивший государственную границу. У пилота Гэри Пауэрса нашли фо-

тографии советских военных объектов. Пилот был осужден и провел два года в тюрьме. Затем его обменяли на советского шпиона, захваченного в США. Дело Пауэрса привело к прекращению переговоров между советским лидером Хрущевым и президентом США Эйзенхауэром в Париже. Хрущев, возмущенный действиями американцев, вернулся к прежней политике военного противостояния и начал модернизацию Советской Армии, которая продолжалась до семидесятых годов.

- Кубинский ракетный кризис (1962). Ядерная катастрофа казалась неминуемой, однако советское руководство все же согласилось демонтировать ракетные установки на Кубе.

Помимо этих событий, в период «холодной войны» было еще множество опасных моментов. Американские усилия по сдерживанию возникновения коммунистических режимов в Азии привели к кровавому противостоянию в Корее в 50-х годах, а затем к продолжительной, бессмысленной и кровавой бойне во Вьетнаме в 60-х — начале 70-х годов. Доктрина сдерживания на практике оказалась сложной и весьма дорогостоящей.

В 1972 году президент Никсон, делавший свою карьеру как наиболее ярый антикоммунист в истории США, начал дипломатические переговоры с Китаем, пытаясь выяснить, есть ли противоречия в так называемом китайско-советском блоке. Период разрядки характеризовался ослаблением напряженности и уважением к сформировавшимся сферам влияния между США и Советским Союзом. Разрядка началась в семидесятых годах, но долго не продлилась.

Сложный вопрос, связанный с «холодной войной»: сколько раз цивилизация балансировала на грани полного уничтожения? Беспрецедентный рост ядерных арсеналов привел к возникновению движения за сокращение вооружений, но во время «холодной войны» ни разу не делалось попытки полного разоружения. В 1979 году Советский Союз вторгся в Афганистан с целью поддержки марксистского правительства, что еще более усилило противоречия между США и Советским Союзом. Выборы Рональда Рейгана президентом США в 1980 году резко усилили антисоветский аспект американской внешней политики. Выступления Рейгана против «империи зла» напомнили напряженность эпохи Трумэна, но на этот раз они стали преддверием разрушения Советского Союза. Однако в тот момент многие люди ощущали себя как на пороховой бочке. Вероятность ядерного апокалипсиса была невероятно высока.

В 1985 году пост Генерального секретаря КПСС занял Михаил Горбачев. Он начал эпоху перестройки, которая стала поворотным пунктом в советской истории. Попытки Горбачева оживить экономику не увенчались успехом. Внутренние конфликты в стране настолько обострились, что система государств — сателлитов Советского Союза дала трещину. В 1989 году Берлинская стена была разрушена, а вместе с ней пал и просоветский восточногерманский режим. Советский Союз не смог наложить вето на военное выступление против Ирака. В том же году Горбачев был смещен со своего поста. Период доминирования Советского Союза в мировой политике закончился.

После стремительного краха коммунистической системы Западу, который принимал «холодную войну» как неотъемлемую часть геополитической обстановки, предстала довольно необычная картина мира. Коммунистическая партия Советского Союза раскололась. Народы Восточной Европы, вынужденные смириться с коммунистическим диктатом, создали независимые государства. И самый удивительный и значительный факт — Белоруссия и Украина, которые на протяжении семидесяти лет являлись частью Советской империи (а до этого и частью Российской империи), превратились в независимые, суверѐнные государства. Если «холодная война» была периодом борьбы за мировое господство между Соединенными Штатами и Советским Союзом, то надо признать, что война эта завершилась полной победой Запада. (См. также главу «Американская история».)

Что вы можете сказать

«Как бы люди ни относились к Розенбергам, они не могут не признать, что полемика вокруг их дела демонстрирует силу антисоветских настроений в начале пятидесятых годов». (Джулиус и Этель Розенберг были казнены в 1953 году за передачу военных секретов Советскому Союзу. До наших дней споры о том, справедливое ли наказание они понесли, не утихают. Хотя в последнее время страсти поутихли, но общественное осуждение Розенбергов было чрезвычайно сильным и весьма продолжительным.)

«Разумеется, поворотной точкой в кубинском ракетном кризисе стало игнорирование Джоном Кеннеди ультиматума Хрущева и его решение ответить на более мягкое послание». (Кеннеди, сознавая, что Хрущев находится под сильным давлением кремлевских политиков, предпочел дать ответ на второе, гораздо спокойнее по тону послание советского лидера.)

«Холодная война» была мрачным, сложным, полным противоречий периодом, который привел к появлению наиболее выдающихся американских политиков». (Не советую затрагивать эту тему, если только вы не подготовились к обсуждению карьеры Ричарда Никсона.)

Короткое замечание: любой, кто утверждает, что знает о «холодной войне» все, как в отношении внутренней, так и внешней политики, просто рисуется. Этот период подобен «Гамлету» или Библии — его можно изучать всю жизнь и так и не постичь истину. Ограничьте разговор тем, чтó вы действительно знаете, и успокаивайте себя мыслью, что вы имеете право на собственное мнение.

Когда вы хотите сменить тему...

Выберите период времени, который еще жив в вашей памяти, а затем скажите о том влиянии, которое на вас лично оказала (или не оказала) «холодная война». Те, кто в 50-х или в начале 60-х ходил в начальную школу, наверняка хорошо помнят атмосферу того времени. Более же молодые вряд ли вспомнят события тех лет. Замечание о том, какое влияние «холодная война» оказала на отдельные семьи, — прекрасный повод перевести разговор на другую тему.

Мудрый совет

Некоторые темы, касающиеся «холодной войны», — суд над Розенбергами, виновность чиновника госдепартамента Олджера Хисса, которого обвинили в шпионских действиях в пользу Советов в 30-е годы, — все еще вызывают ожесточенные споры. (И Розенберги, и Хисс были осуждены, Хисс — за лжесвидетельство.) Не старайтесь убедить собеседника в своей правоте. Лично я предпочитаю предоставить человеку высказаться, а сам просто выслушиваю его мнение.

Как произвести впечатление на окружающих своими познаниями о

ТЕОРИИ ОТНОСИТЕЛЬНОСТИ ЭЙНШТЕЙНА

Прелесть разговора о теории относительности Эйнштейна в том, что в большинстве случаев никто не сможет вам возразить. Этот факт неоспорим. Своими словами вы поставите всех в тупик, вопрос лишь в том, кто из собеседников окажется лучше подготовленным. Поэтому советую вам воспользоваться приведенными ниже сведениями, уверенно и громко высказать свое мнение, посмотреть прямо в глаза собеседнику и улыбнуться. А затем, поскольку вы уже набрали очки, можете удивиться, почему это Нобелевский комитет шестнадцать лет раздумывал, прежде чем присудить Эйнштейну премию по физике (он получил ее в 1921 году).

Общий обзор

Неудивительно, что Альберта Эйнштейна постоянно просили сформулировать его теорию относительности в кратком виде, «чтобы ее мог понять любой человек». Эйнштейн же на эти предложения отвечал фразой, которую я хочу привести дословно.

«Если вы пообещаете не воспринимать мои слова серьезно, — говорил Эйнштейн, — не более как шутку, основанную на теории относительности, тогда я могу вам дать ее краткое определение. Ученые считают, что, если вся материя исчезнет из Вселенной, пространство и время останутся. Но в соответствии с теорией относительности время и пространство исчезнут вместе с материей».

Полагаю, что вас это объяснение не удовлетворило. Мне кажется, вам хочется узнать еще кое-какие детали о сущности теории относительности. (Кто знает, зачем вам это, но предположим, что надо.)

Чтобы лучше понять теорию Эйнштейна, давайте вспомним законы механики Ньютона (см. главу «Ньютонова физика»). На протяжении всего восемнадцатого и большей части девятнадцатого века эти законы прекрасно объясняли, как физические предметы взаимодействуют друг с другом во вселенной. Однако примерно в середине девятнадцатого века ученые начали сталкиваться с трудностями. Они обнаружили явления, которые невозможно было объяснить с позиции законов

Ньютона. Наибольшую головную боль им доставлял свет. Они никак не могли точно понять, как же свет перемещается в пространстве. Ученые спорили, но никто не мог предложить разумного объяснения.

Решить эту проблему удалось Эйнштейну. Он дал новое определение пространства. В соответствии с теорией относительности пространство и время перестали быть независимыми отдельными величинами. Эйнштейн предположил, что они являются составными частями четырехмерного пространственно-временного континуума. Его специальная теория относительности (1905) утверждала, что законы природы одинаковы в различных движущихся системах, а скорость света постоянна и не зависит от скорости движения человека, наблюдающего за ним, или от направления, откуда свет исходит.

Что вы можете сказать

Испугались? Тогда скажите следующее:

«Специальная теория относительности дала ответы на вопросы, которые давно ставили перед собой ученые. Она стала подлинной революцией в физике, потому что объясняла все то же самое, что и законы Ньютона, и еще чуть-чуть». (Новые и гораздо более универсальные законы и

3 Зак. № 2842 Гамильтон

принципы, разработанные Эйнштейном, перевели физику на качественно новый уровень. Специальная теория относительности смогла предсказать результат обычных физических действий практически так же, как и законы Ньютона, но к тому же дала более точные ответы на те вопросы, где ньютонова теория оказывалась бессильной. Например, что произойдет, если движущееся тело достигнет скорости света? Краткий ответ: то, что мы называем пространством и временем, просто сойдет с ума. Общая теория относительности (около 1916) по большей части относится к гравитации. В определенных ситуациях (практически интересующих только ученых), когда законы Ньютона перестают действовать, эта теория точно объясняет, помимо всего прочего, и принципы движения небесных тел в солнечной системе.)

Когда вы хотите сменить тему...

Пошутите начет того, что вы разработали собственную теорию относительности благодаря надоедливым родственникам, которые постоянно отнимают у вас и пространство, и время. А затем начните подшучивать над своим толстым дядей Гарольдом.

Мудрый совет

Если вы заметили, что обстановка вокруг вас начинает самым диким образом изменяться, значит, вы говорили о теории относительности слишком быстро. Во имя вашего благополучия притормозите, пока не достигли скорости света.

Как произвести впечатление на окружающих своими познаниями об

ЭКЗОТИЧЕСКИХ (И НЕ ОЧЕНЬ ЭКЗОТИЧЕСКИХ) НАПИТКАХ

Ничто так не радует несчастного, замотанного, погруженного в себя жителя города, как стаканчик-другой доброго сухого мартини, правда? А теперь представьте, какое впечатление вы произведете на человека, приготовив ему собственный коктейль. Если вы в разговоре с профессионалом сможете показать, что знаете, что́ и когда пить, это придаст вам дополнительный вес в его глазах.

Итак, как же произвести впечатление знатока, когда предоставится к тому возможность? Вот наши рекомендации.

Общий обзор

Сначала небольшое вступление. Алкогольные напитки — это любые напитки, содержащие этиловый спирт. (Звучит довольно устрашающе, особенно если вы выдадите подобную фразу за приятной выпивкой.) Этиловый спирт получают из зерна, винограда, фруктов и сахарного тростника. Существует две основные группы алкогольных напитков — ферментированные и дистиллированные. Ферментированные — это пиво и вино. Дистиллированные — это бренди, джин, ром, водка, виски и коньяк. Они содержат от 40 до 50 процентов этилового спирта.

Процент алкоголя в дистиллированных напитках называется крепостью. В США крепость равна удвоенному количеству алкоголя в напитке. Поэтому если на бутылке написано «крепость 100%», это означает, что напиток содержит 50% алкоголя.

Вот характеристика наиболее популярных дистиллированных напитков. Виски — это смесь не менее чем сорока сортов спирта, выработанного из различного зерна. (Скотч — это шотландское виски.) Виски подают в чистом виде, со льдом или смешивают его с водой. Водка практически не имеет вкуса и запаха и обычно смешивается с апельсиновым или томатным соком или с тоником. Ликеры производят из ароматизированных бренди, джина или других спиртных напитков с фруктами или цветами и подают в чистом виде или со льдом. Джин — это ароматизированный спиртной напиток, который обычно смешивают с соком. Ром производят из сахарного тростника и обычно смешивают с соками или с колой. И наконец, бренди или коньяк вырабатывают из виноградного спирта и подают неразбавленным или добавляют к другим спиртным напиткам.

Что вы можете сказать

«Я знаю отличный коктейль — «Мрачная тайна». (Наполните стакан льдом, добавьте полторы унции коньяка или бренди, пол-унции «амаретто» и перемешайте.)

«Вы предпочитаете сухой мартини или очень сухой?» (Традиционный рецепт: наполните стакан льдом, добавьте две унции джина и пол-унции сухого вермута. Для сухого мартини вермута надо брать меньше. Для очень сухого — еще меньше. Аккуратно перемешайте и подайте с ломтиками лимона или двумя зелеными оливками — есть еще рецепт Гибсона, в котором оливки заменяют на маринованные луковички для коктейля.)

«Похоже, вы уже выпили «День». Тогда я сделаю вам «После пяти». (Пол-унции кофейного ликера, пол-унции ирландского сливочного ликера и пол-унции мятного шнапса.)

«Интересный рецепт — «Колорадский бульдог», правда?» (Для этого коктейля наполните стакан льдом, влейте в него унцию водки, унцию кофейного ликера и две унции колы. Перемешайте и подавайте.)

«Плохое отношение» ни с чем не спутаешь!» (Наполните стакан льдом, добавьте унцию кокосового рома, унцию ароматизированного рома и две унции ананасового сока. Взболтайте. Разлейте по охлажденным стаканам.)

«Хотите «Прудовой тины»? Это не так ужасно, как звучит». (Докажите это. Наполните стакан льдом, добавьте две унции водки и немного содовой. Сверху аккуратно влейте четверть унции ирландского сливочного ликера.)

«Предлагаю самый лучший чай со льдом, какой вам только доводилось пробовать. Он называется «Ледяной пик». (Довольно прямолинейно, но справедливо. Наполните стакан льдом, влейте две унции водки и охлажденный чай. Добавьте сахар или лимон по вкусу. Подавайте с ломтиком лимона.)

«Самый лучший рецепт, который я знаю? Ну конечно, «Похмелья не будет». (Это комплекс витаминов В в стакане содовой с несколькими каплями горькой настойки.)

Когда вы хотите сменить тему...

Если все в баре или на вечеринке уже достаточно набрались, сменить тему не составляет труда. Никто даже не вспомнит, о чем шла речь. Выберите любой предмет и рассуждайте о нем.

Мудрый совет

Никогда не просите у бармена чего-то экзотического, чего-нибудь приготовленного на огне или замороженного, если не уверены точно, что это такое. Дегустация может закончиться плачевно. Лучше закажите просто виски с содовой. (Как-то раз мой приятель, первый раз зайдя в бар, попросил виски с апельсиновым соком, — какой плохой вкус!)

И наконец, пейте с головой. Если вы не можете сесть за руль, лучше отдайте ключи тому, кто в состоянии это сделать.

Как произвести впечатление на окружающих своими познаниями о

«ЧЕРНЫХ» ФИЛЬМАХ

Когда люди ностальгически вздыхают по хорошему Голливудскому кино, то обычно имеют в виду именно «черные» фильмы. На мой взгляд, эти люди слишком сентиментальны. Мрачные, тяжелые «черные» фильмы прошлого породили массу подражаний, причем порой сделанных не хуже оригиналов. Поэтому давайте не пожалеем пяти минут и поговорим об этом жанре — о «черных» фильмах, как их прозвали французы.

Общий обзор

Существует два типа «черных» фильмов: классические и более современные. Классификация, конечно, несколько неопределенная, но речь идет не о присутствии или отсутствии цвета на экране, но о передаче эмоций, о диалогах, развитии сюжета и стиле фильма. В любом случае мы с вами обсудим оба типа.

Классический «черный» фильм, жесткий, эффектный, дерзкий, циничный, сделан в духе золотой эры Голливуда. Обычно это криминальная драма, снятая в черно-белом варианте, причем черный цвет на экране явно доминирует. Эти картины пронизаны мрачным, фатальным ощущением, герои не ходят, а передвигаются как бы крадучись. Персонажи мира «черных» фильмов редко проявляют добродетельность, соблазнительные женщины не всегда выступают на стороне героя, полиция и власти не вызывают доверия, а финал почти никогда не бывает счастливым. Как правило, исход игры предопределен.

Режиссеры этих зачаровывающе-мрачных, обольстительных и завлекающих картин обладали талантом добиться максимального результата при минимуме затраченных средств. Бюджет картины был, как правило, чрезвычайно мал, декорации весьма скромные. Порой причиной возникновения нового лаконичного, черно-белого киноязыка являлось простое отсутствие финансов. Но минимум выразительных средств прекрасно передавал жестокость, подозрительность и двойственность современной жизни. Режиссеры были скованы ханжескими правилами и, чтобы обойти их, использовали все средства — двусмысленные фразы, впечатляющие общие и крупные планы, запоминающиеся, многозначительные диалоги. А великолепные актеры могли вдохнуть жизнь во все режиссерские ухищрения.

Большинство знатоков согласятся, что эпоха «черных» фильмов началась с «Мальтийского сокола» Джона Хьюстона (1941) и завершилась «Печатью зла» Орсона Уэллса (1958), хотя несколько значительных произведений в этом жанре было создано и раньше, например, «Я сбежал от банды Чейн» (1932). Но когда бы ни возникло это направление в киноискусстве, «черные» фильмы стали самыми впечатляющими, самыми мрачными и самыми популярными творениями Голливуда. В нашей книге слишком мало места, чтобы перечислить хотя бы десятую часть прекрасных фильмов, созданных в этом жанре, но я хочу назвать несколько самых значительных. Запомните их, они пригодятся вам в разговоре: «Высокая Сьерра» (1941), «Касабланка» (1942), «Двойная расплата» (1944), «Лаура» (1944), «Печально известный» (1944), «Зачарованный» (1945), «Почтальон всегда звонит дважды» (1946), «Темная улица» (1947), «Леди из Шанхая» (1948), «Пропавший выходной» (1945), «Белая жара» (1949), «Бульвар Сансет» (1950), «Асфальтовые джунгли» (1950), «Чужие в поезде» (1951), «Д.О.А.» 1952) и «Большой сон» (1953). Заметим, что фильм Орсона Уэллса «Гражданин Кейн», созданный в 1942 году, сыграл важную роль в определении жанра классического «черного» фильма 40-х годов. (Вы не смотрели хотя бы одну или несколько из перечисленных кинолент? Не пожалейте времени, сходите в ближайшую видеотеку и возьмите любой из классических фильмов. Уверяю вас, вы получите удовольствие. А теперь вернемся к нашим баранам.)

Цветные «черные» фильмы создают ту же мрачную, нравственно двусмысленную атмосферу, что и ранние их собратья 40-х годов. Обычно так называют картины, снятые несколько позже классических. Следует сказать, что цветные фильмы испытали на себе значительное влияние черно-белых, достаточно лишь вспомнить хичкоковское «Головокружение» (1958). Удачными примерами таких фильмов можно назвать «Чайнатаун» (1974), «Прощай, моя дорогая» (1975), «Жар тела» (1981), «Бегущий по лезвию» (1982), «Криминальное чтиво» (1995) и «Секреты Лос-Анджелеса» (1997). Не удивляйтесь, действительно в цвете Голливуд не смог создать столько шедевров, как во времена черно-белого кино. Но всегда ведь надеешься на лучшее. Кто знает... Мы еще встретимся, дорогая.

Что вы можете сказать

Говорить о «черных» фильмах нетрудно. Вам просто нужно помнить несколько ярких реплик из некоторых фильмов. Кое-что я подскажу. А лучше отправляйтесь в ближайшую видеотеку и составьте собственный список полюбившихся вам выражений.

«Я хочу все, что у нее есть. Все! Я хочу получить ее дом, имя, мужа — и немедленно! Сегодня же!» (Хэйзел Брукс, «Спи, моя крошка», 1948.)

«Тебе доставляет удовольствие унижать меня, чтобы я почувствовала себя дешевкой, правда? Что ж, может быть, я такая и есть». (Дороти Патрик, «Спокойно, следуй за мной», 1949.)

«Конечно, я — не идеал. Но и не хуже любого другого». (Ван Хефлин, «Сыщик», 1951.)

«Потребовался не один мужчина, прежде чем я сменила свое имя на Шанхайскую Лили». (Марлен Дитрих, «Шанхайский экспресс», 1932.)

«Это была дамочка средних лет, с физиономией, похожей на грязную лужу. Я купил ей выпивку. Она была из тех, кто за бутылку, не задумываясь, отправит тебя в нокаут». (Дик Пауэлл, «Убийство, моя дорогая», 1944.)

«Ты не умеешь свистеть, Стив? Просто сложи губы дудочкой и подуй». (Лорен Бэколл, «Иметь и не иметь», 1945.)

Когда вы хотите сменить тему...

Упомяните, что главная женская роль в любом классическом «черном» фильме — это сильная, целеустремленная, сексуальная, уверенная в себе женщина, но почему-то в результате ей всегда не везет.

Следом за этим замечанием можете перевести разговор на феминизм, стереотипы массовой культуры, изменение сексуального поведения или на классические фильмы о Джеймсе Бонде, в которых женщины предстают слабыми, зависимыми существами.

Мудрый совет

Как и большинство специальных терминов, понятие «черный фильм» не является бесспорным. (Например, до сих пор идут споры о том, какой именно следует считать первым «черным» фильмом.) Не будьте слишком привержены ярлыкам — и не удивляйтесь, если кто-нибудь выскажет совершенно противоположную точку зрения.

Как произвести впечатление на окружающих своими познаниями об

ИЗЫСКАННЫХ ВИНАХ

Если вы посмотрите в большом словаре значение слова «напыщенный», то одним из вариантов будет «сноб, знающий толк в хорошем вине».

Иногда бывает полезно произвести на окружающих впечатление знатока в вопросе о вине. Находясь в Риме (кстати, хорошее место для покупки вина!), веди себя, как римляне. Так гласит народная мудрость. Давайте же прислушаемся к совету и освежим свою память. Сведения в разделе «Общий обзор» помогут вам не сесть в лужу, если речь зайдет об изысканных винах.

Общий обзор

Вина делятся на три категории: красные (для брожения используются целые виноградины), белые (для изготовления белых вин используется только сок) и розовые (шкурки виноградин удаляются, когда начинается процесс брожения, что придает вину розовый оттенок). Еще одна важная градация: сухие и сладкие. Чем суше вино, тем больше виноградного сахара в нем было переработано в алкоголь.

Легче всего прослыть знатоком, если употреблять специальные термины правильно и к месту. Вы можете блеснуть своими познаниями, используя факты, приведенные в нашей статье. Но помните, стоит вам ошибиться или переборщить, и вас примут за глупца или позера. Не уподобляйтесь ни тому, ни другому. Старайтесь говорить разумно и к месту и не увлекайтесь подаваемыми винами, как бы они вам ни нравились. Для настоящего знатока достаточно одного бокала. Поэтому, оценивая вино, не забывайте, что оно бывает плохим, хорошим, отличным и исключительным по качеству, но никогда не бывает совершенного вина.

Плохое вино можно было бы еще назвать неудачным. Мне нравится эта фраза. Она звучит так, словно в вашем бокале просто результат неудачной попытки. Крепкое вино, которое оказалось невыдержанным, называют «дряхлым» или даже «умершим». Есть только одно исключение из общего правила: никогда не оценивайте напиток слишком высоко, вы можете вспомнить, что когда-то очень давно пили вино и оно было совершенным. Теперь легко перевести разговор на тот божественный напиток, который произвел на вас столь глубокое впечатление. Легкая грусть от этого воспоминания похожа на грусть расставания с первой любовью... Можете даже пустить слезу.

Древние греки делали вино, сбраживая виноград в глиняных сосудах, закрытых деревянными крышками. И пригоршнями, не жалея, добавляли в него пряные травы. В результате получался напиток, способный повергнуть неопытного человека в настоящий шок (до сих пор подобное вино продают в Греции). Но... что хорошо для Платона, хорошо и для нас.

Всеобщее увлечение виноделием продвинуло это искусство со времен древних греков далеко вперед. Сегодня отличные вина делают во многих уголках мира, даже в столь экзотических, как Египет, Перу, Китай и в штате Техас. И в большинстве случаев практически везде получаются вполне приличные напитки. Единственное исключение — это Англия. Сами англичане делать вино так и не научились. Но надо отдать им должное — они многое сделали для развития виноделия в других странах. Любовь к виноградному вину в Великобритании уходит своими корнями еще во времена Генриха V. Говоря об англичанах, нельзя не вспомнить то, что сделали члены театральной комической труппы Монти Пайтона для развития производства столового вина в Австралии.

Множество прекрасных вин делается в Германии. Если вкус немецкого вина не произвел на вас глубокого впечатления, можете ограничить проявление эмоций невнятными междометиями. Бутылка немецкого вина «Trockenbeerenauslese» продается не меньше чем за 125 долларов. Поверьте, эти деньги не будут потрачены впустую, — только если вы не сломаете язык, произнося это название.

Французы считаются первоклассными виноделами, но пусть громкие названия и высокие цены вас не пугают. Если вы сомневаетесь, закажите самое дорогое вино, какое только можете себе позволить, и выберите розовое — оно подходит к любому блюду. Если хотите попробовать шампанское, не забывайте, что от дешевых сортов у вас наутро страшно разболится голова, а дорогое вино пробьет ощутимую брешь в бюджете. Бутылка «Dom Perignon» или «Cristal» подорвет ваше финансовое благополучие, а после дешевого шампанского из Огайо захочется прибегнуть к радикальному средству против головной боли — гильотине. Поэтому советую придерживаться золотой середины.

Таким образом, мы подошли к важному вопросу: как заказать вино, чем руководствоваться в выборе? Самый легкий способ — посмотреть на цены. Если они не указаны, возникает серьезная проблема: судя по всему, напитки здесь подаются не из дешевых. Вы уверены, что бокал содовой вас не удовлетворит?

Могу порекомендовать две основные стратегии выбора. Во-первых, вы можете забыть об осторожности и ткнуть пальцем наугад, а потом попросите вино, название которого сможете произнести. Во-вторых, можно посоветоваться с официантом или барменом, при этом скажите своим собеседникам: «Я всегда так делаю — иногда бывают приятные сюрпризы».

Вам наверняка предложат понюхать пробку и попробовать немного вина. Если напиток не показался вам цианистым калием, утвердительно кивните и слегка нахмурьте брови, изображая знатока.

Вы должны помнить, что вина разделяются на четыре основных типа.

- Натуральные вина — это те, которые получают путем естественного брожения. Лучшие натуральные вина производят в Бургундии и Бордо (Франция), Мозеле (Германия), Кьянти и Вероне (Италия).
- Игристые вина — это второй тип. Помните, что шампанским может быть только вино, произведенное в провинции Шампань во Франции. Все остальные вина этого типа называются игристыми столовыми винами. Лучшие из них — «Asti Spumante» и «Sekt». «Riunite» тоже игристое вино, но будьте внимательны — от-

винчивающаяся крышка должна вас насторожить.

- Крепленые вина содержат большее количество алкоголя (от 14 до 25 процентов). В эту группу входят херес, портвейн (отлично идет к сигарам), мадера и марсала.
- Если вы любитель острых ощущений, тогда вам нужны ароматизированные вина — типа вермутов и аперитивов. Вина с хиной изготавливаются на основе сладких вермутов и прекрасно помогают от малярии. Основные виды ароматизированных вин следующие: «Dubonnet» (красное и белое), «Lillet» (подается охлажденным с ломтиком апельсина, также бывает красным и белым) и «St. Raphael» (в Соединенных Штатах продается только красное — вы можете запомнить это и при случае заказать белое вино.)

Собираетесь на дегустацию вин? Мой вам совет — не стоит много пить. Дело есть дело. В конце концов ваша цель — попробовать, а не напиться. Итак...

- Помните: вы пришли на дегустацию, слишком большое количество вкусов и запахов будет сбивать вас с толку.
- Наливайте в бокал немного, внимательно слушайте то, что вам рассказывают о напитке.
- Поднимите бокал на уровень глаз, качните его и понаблюдайте за тем, как вино стекает по стенкам, — так определя-

ют содержание сахара в вине: чем больше сахара, тем больше вина останется на стенках бокала.

- Обратите внимание на цвет. Можете закрыть один глаз или придвинуть бокал ближе, слегка наклонив голову. Не спешите пить! Еще не время! Сейчас самый подходящий момент для удивленного восклицания. Хотя единственное, что вы можете заметить, — это глубокий богатый цвет вина, не замутненный следами брожения. Если цвет насыщенный, яркий, наверняка и вкус вина окажется вполне приличным. Белые вина имеют оттенок свежей соломы. Красные отличаются густым рубиновым цветом.

- Теперь еще раз закройте глаза, качните бокал и глубоко вдохните. Помните, все эти действия следует производить, полностью сконцентрировавшись на напитке.

- Наконец можно сделать глоток. Почувствуйте дух вина, самую его сущность, и... сплюньте в предлагаемый сосуд. Удивлены? Но это главная проверка на вашу компетентность.

- Прополощите рот водой, чтобы избавиться от вкуса вина.

- Можете поинтересоваться годом производства вина или спросить, в какой местности произрастают виноградники. Если ответ вас удовлетворил, кивните.

- Вас просят оценить вино? Необычные прилагательные, которые используют знатоки, могут повергнуть вас в изумление. Мой совет — не морочьте людям голову, ограничьтесь чем-нибудь вроде «сложное вино» или «интересный букет».

Что вы можете сказать

Если вы неважно разбираетесь в винах и притом не любите жульничать, всегда можно уклониться от дегустации. Есть несколько хороших способов избежать этого и сохранить репутацию знатока.

«Увы, мое нёбо слишком чувствительно. Попробовав несколько вин, я уже теряю вкусовые ощущения».

«Я предпочитаю прислушиваться к советам своих друзей, у которых хватает времени быть в курсе последних новинок в мире виноделия».

«Я всегда советуюсь со своим поставщиком. Он в этом деле настоящий дока!»

«В компании друзей за отличным обедом просто не может быть плохого вина!»

Вот еще несколько фраз, которые помогут вам не потерять лицо.

Поднимите бокал повыше и скажите: «По-моему, Луи Пастер говорил, что «вино — это самый здоровый и гигиеничный из всех напитков».

Если вы заказываете немецкое вино,

то можете спросить: «А вы не знаете, в этом году в Германии набралось сто солнечных дней до сбора урожая?» Если с мая по октябрь стояла солнечная погода, вино получится хорошим. Если же солнце светило дольше, то вино окажется просто замечательным.

Когда вы хотите сменить тему...

...можете мечтательно вспомнить об удивительном «Мерло», которое вам удалось попробовать прошлым летом в... (вставьте название местности в Европе). Только там вы поняли, что значить жить по-настоящему. А дальше положитесь на собственное воображение. Можете сказать, что вино делает вас сентиментальным, глубоко вздохните, задумайтесь и спокойно переводите разговор на другую тему.

Мудрый совет

Хотите произвести самое лучшее впечатление? Тогда запомните: когда подаются рыбные блюда, не просите наливать во-о-он того красного вина...

Как произвести впечатление на окружающих своими познаниями об

АМЕРИКАНСКОМ ФУТБОЛЕ

Избежать этого зрелища почти невозможно — особенно осенью по воскресеньям и в дни розыгрыша Большого кубка. Для тех, кто незнаком с этой игрой, футбол — профессиональный или любительский — может показаться жестоким спортом, с невообразимой терминологией и совершенно непостижимыми правилами. Но вам не нужно знать все тонкости, чтобы насладиться захватывающим зрелищем. Вот краткое резюме наиболее увлекательного американского спортивного спектакля — футбольного матча.

Общий обзор

Суть игры в следующем: две команды по одиннадцать игроков в каждой пытаются загнать мяч в ворота друг другу, но не так, как в европейском футболе. После схватки в центре поля нападающей команде разрешается один пас вперед. Нападающий игрок получает мяч и пытается пересечь линию ворот противника, держа мяч в руках. Противник старается отобрать мяч и начать свою атаку.

Команда, которая сумела занести продолговатый мяч в ворота противника, получает шесть очков. Затем она пытается заработать дополнительные очки, либо пробивая мяч в ворота с небольшого расстояния (за что дается одно очко), либо стараясь снова занести мяч за линию ворот, что значительно труднее.

Еще один способ зарабатывания очков — когда нападающий проник глубоко на территорию противника, но исчерпал лимит попыток, — это попадание мячом в ворота, что приносит три очка. В таком случае игрок старается пробить ногой по мячу, но он должен находиться на определенном расстоянии от ворот.

Можно также заработать два очка за блокирование нападающего в его зоне. Такой оборонительный маневр называется «безопасным». Очки за «безопасность» даются, когда нападающий перехватывает мяч.

Удар ногой используется в нападении. «Нельзя дать противнику перехватить инициативу — поэтому хватай мяч и постарайся забить его в ворота!» Как правило, игроки бьют ногой, когда не могут занести мяч в ворота или находятся слишком близко от ворот. Если забит гол, нападающей становится другая команда.

Существует множество теорий, объясняющих, почему футбол приобрел такую феноменальную популярность в Соединенных Штатах в конце двадцатого века. Лично я считаю, что это прекрасное телевизионное зрелище. Драматический конфликт хорошего футбольного матча выражается в открытом физическом столкновении, которое можно бесконечно показывать в замедленной съемке и фиксировать на красивых стоп-кадрах. Самая скучная игра становится захватывающей даже для непосвященного зрителя. Чего нельзя сказать о бейсболе. В американском футболе прекрасно сочетаются сила и способность соображать.

Некоторые говорят, что футбол точно отражает характер Америки, страны, которая изобрела эту игру и полюбила ее. Он конкурентоспособен, прибыли от игр фантастические. Американский футбол — очень жесткая, грубая, стремительная и сложная игра. Она для тех, кто не любит черепашьего шага, — а именно этот тип людей составляет большую часть телевизионной аудитории.

Что вы можете сказать

Обсуждая американский футбол, вы можете сделать несколько замечаний. Я приведу вам несколько полезных фраз относительно

сительно профессионального футбола, поскольку, как правило, в компании говорят именно о нем. (Не забывайте, что вы можете встретиться с болельщиками университетских футбольных команд. Но большинство из них следят и за событиями, разворачивающимися в Национальной футбольной лиге.)

«У меня выдался сложный год — я (...) болельщик!» (Здесь вы должны вставить название команды, занявшей последнее или почти последнее место в чемпионате. Конечно, для этого вам придется полистать спортивные странички газет, но результат стоит того. Вы покажете себя человеком, следящим за ситуацией, и в то же время избежите разговоров о том, у кого наиболее предпочтительные шансы выиграть Суперкубок — эта тема требует более глубоких знаний и определенных подсчетов. Ваше замечание может даже вызвать сочувствие со стороны собеседника. Конечно, это обман, но... что же делать?)

«Большинство игр на Суперкубок — всего лишь хороший повод собраться с друзьями. Сами игры настолько неинтересны, что не стоят потраченного на них времени». (Это практически универсальное замечание, весьма распространенное среди болельщиков. Вы можете также сказать, что были и приятные исключения. В двадцать втором Суперкубке блестяще выступил защитник Джо Монтана, а в двадцать пятом команда Нью-Йорка сумела на последней минуте забить решающий мяч и выиграть матч.)

«Давайте признаем неизбежное — команды Национальной футбольной ассоциации выигрывают большинство Суперкубков, потому что ведут очень жесткую игру. У них есть игроки, которые могут бежать с мячом, и они знают, как прорывать оборону. Команды Американской футбольной ассоциации (за исключением «Денвер Бронкоз») обычно ограничиваются хорошим защитником вроде Дрю Бледсо или Джима Келли — а больше у них никого нет». (Национальная футбольная лига делится на две ассоциации — Американскую и Национальную. Команды НФА выиграли четырнадцать из последних шестнадцати Суперкубков. Фраза, которую я вам предлагаю, прекрасно объясняет этот феномен.)

Когда вы хотите сменить тему...

Поговорите о том, что Си-би-эс уступило право транслировать матчи Национальной футбольной лиги компании «Фокс». А затем можете спокойно перейти на обсуждение политики крупных телевизионных компаний, а если вам нечего сказать на эту тему, то я уж и не знаю, о чем вы вообще в состоянии разговаривать.

Мудрый совет

Не пользуйтесь специальной терминологией, если точно не уверены в значении слов. Даже настоящие фанатики футбола и те не всегда точно знают, о чем идет речь. Если вы попытаетесь произвести впечатление на собравшихся хитроумным термином, услышанным по телевизору, то ответом вам может стать неловкое молчание и многозначительное покашливание.

Как произвести впечатление на окружающих своими познаниями о

ДРАГОЦЕННЫХ КАМНЯХ

Для особо торжественных случаев люди всегда украшают себя драгоценностями. Поэтому неплохо было бы знать кое-что о ювелирных изделиях. Вы прибавите себе авторитета, если в нужный момент сможете сказать: «О, какой великолепный сапфир! Он с Цейлона, не так ли?»

Общий обзор

Драгоценности сегодня надевают по трем причинам. Во-первых, человеку хочется подчеркнуть свое богатство, во-вторых, ему может просто нравиться какое-то украшение и, в-третьих, некоторые увлекаются целительством с помощью камней.

С восемнадцатого века многие образованные люди считали, что истолченные в порошок драгоценные камни могут излечить от различных болезней: топаз — от астмы, черный янтарь — от зубной боли, желтый янтарь — от базедовой болезни, сапфир — от психических расстройств, а аметист нейтрализует яды. Разумеется, все это было выдумкой, но по-прежнему утверждали, что если проявить достаточную настойчивость, то можно исцелиться.

Говоря о камнях, нельзя не упомянуть о так называемых «пр́оклятых» драгоценностях. Все слышали о голубом бриллианте «Надежда», камне в 112 карат — звезде первой среди себе подобных, — и о его мрачной истории. Но в те дни даже самый обычный опал мог принести кучу несчастий своему незадачливому владельцу, который по недомыслию надел «не свой» камень. Считается, что если вы родились не в октябре, то опалы будут приносить вам сплошные несчастья.

Однако не всякий камень на самом деле является тем, за кого себя выдает.

В наше время в больших количествах под видом рубинов и сапфиров продается кубический цирконий, а также облученные камни. При облучении камень нагревается до определенной температуры, и его цвет изменяется. После такой процедуры белый бриллиант становится желтым, изумрудно-зеленым, розовым или шоколадно-коричневым. Алмазы могут иметь такой цвет и от природы, но их стоимость значительно выше. Только квалифицированный специалист может заметить разницу между природным камнем и облученным.

Если на камне, особенно на таком мягком, как изумруд, появляются царапины и трещины, его можно восстановить. Повреждения заполняют пастой, изготовленной из растертой в порошок каменной крошки. Это, конечно, не подделка. Но, согласитесь, покупатель имеет право знать все о качестве купленной им вещи. Ювелирное искусство всегда строилось на доверии. Если репутация местного ювелира оказывалась подмоченной, он мог тут же перебираться в другой город.

И в заключение хочу сказать, что многие из драгоценностей, которые выглядят как настоящие, на самом деле имеют искусственную природу. Если вы хотите надежно вложить деньги, обратитесь к профессионалу. А когда идете на прием, наденьте украшения, которые по крайней мере выглядят, как подлинные.

Что вы можете сказать

«Вы, наверное, привезли этот чудесный жемчуг из Японии, не правда ли?» (Сегодня японцы выращивают крупный жемчуг на устричных фермах. В жемчужницу вводят бусинку или песчинку и ждут, когда вокруг нее нарастет достаточный слой перламутра.)

«Не стоит хранить жемчуг в шкатулке — он любит человеческое тепло». (Действительно, человеческая кожа очень благотворно действует на жемчуг. Но обязательно снимайте его, когда принимаете душ, чтобы не повредить.)

«Завидую тем, кто родился в апреле, — представляете: в каждый день рождения получать бриллианты!» (Бриллиант — это камень родившихся в апреле. Вы можете произвести впечатление на окружающих, если расскажете, кому какой камень следует носить. Вот список, где указан месяц и соответствующий ему камень: январь — гранат, февраль — аметист, март — гелиотроп и аквамарин, май — изумруд, июнь — жемчуг и лунный камень, июль — рубин, август — сардоникс и перидот (оливин), сентябрь — сапфир, октябрь — опал или турмалин, ноябрь — топаз, декабрь — бирюза и лазурит.)

«Настоящий александрит должен изменять свой цвет». (Александрит назван в честь русского царя Александра II, поскольку чаще всего эти камни находили в России. Синтетические александриты широко распространены в Корее. Этот камень меняет свой цвет: при естественном освещении он пурпурный, при искусственном — серо-голубой. Натуральные александриты — большая редкость. Чем крупнее и ярче камень, тем больше вероятность того, что он ненастоящий.)

«Этот изумруд восхитителен. Я никог-

4 Зак. № 2842 Гамильтон

да в жизни не видел столь глубокого цвета!» (Чем ярче зелень, тем выше ценность изумруда.)

Когда вы хотите сменить тему...

Спросите о стране происхождения камня. Таким образом вы с легкостью можете перевести разговор на обычаи, политику или текущие события в определенной части света. А если ваши познания в географии слабоваты, то на социальную роль, которую драгоценности играют в различных обществах.

Мудрый совет

Вы смущаетесь оттого, что надели искусственный камень? Нужно просто подготовиться к подобной ситуации. Не покупайте слишком крупный искусственный бриллиант, но не стоит выбирать и слишком маленький. Оптимальный размер — полкарата. Такой бриллиант нормально выглядит в сочетании с фальшивым золотом. Можете выбрать камень и покрупнее, но вам потребуется уверенность в себе, чтобы с достоинством носить подобное украшение.

Каков бы ни был размер «бриллианта», будьте готовы к подозрительным и оценивающим взглядам. Когда кто-то заинтересуется вашим украшением, скажите: «А, это... Бабушка настояла, чтобы я надела его. Мне это кажется довольно глупым. Я почти не бываю там, куда их можно надевать. Но бабушка хочет, чтобы ее украшения носили, и мне пришлось подчиниться».

Как произвести впечатление на окружающих своими познаниями о

ГОЛЬФЕ

Гольф — очень специфическая игра. Каждое утро я наблюдаю недалеко от моего дома, как группа людей на газоне, в любую погоду, стараются быстро закатить мячик в лунку. Меня всегда мучал вопрос: что такое знают любители гольфа, что недоступно остальным нормальным людям?

Если вы спросите у них, то завзятые игроки объяснят вам, что эта игра успокаивает, подобно дзен-буддизму, что она позволяет им гармонично развиваться, как физически, так и интеллектуально, что это столкновение природы и разума... и т. д. и т. п. Другими словами, любители гольфа привержены своей игре не меньше, чем бейсболисты своей.

Предположим, вас пригласили на партию в гольф, а вы не знаете, какой клюшкой воспользоваться. Не беспокойтесь — просто возьмите с собой нашу книжку. Мы поможем вам разобраться в основах.

Общий обзор

Вероятно, какие-то начальные сведения о гольфе у вас уже есть. Игроки стараются загнать маленький белый мячик в лунки при помощи деревянных клюшек со стальными наконечниками. Игрок должен ударить правильно выбранной клюшкой по мячу так, чтобы он закатился в специальную лунку на поле, что приносит ему очки. Чем меньше приходится ударять по мячу, чтобы закатить его во все лунки, тем лучше. Игрок может совершить девять или восемнадцать ударов.

Печально, но факт: гольф — это недешевое удовольствие. Стоимость одной партии колеблется от 25 до 1000 долларов на каком-нибудь частном поле возле Токио. В гольфе большую роль играет ваш статус: игрока оценивают по экипировке. Набор клюшек стоит от 300 долларов до нескольких тысяч. Хорошую сумку для клюшек можно купить за 100 долларов, плюс туфли, плюс перчатки... Теперь вы представляете, с чем имеете дело?

Впрочем, можно сэкономить. Совершенно необязательно покупать клюшки. Лучше просто взять их напрокат, это обойдется дешевле. Полный набор клюшек, конечно, произведет впечатление на ваших друзей, но... Важнее знать, как они называются. В полный набор входят от одной до пяти деревянных клюшек, до девяти стальных, улавливающий клинышек,

клинышек для песка, ловушка или две, зонтик, телескопический улавливатель для мяча, чтобы вытаскивать его из воды. Чем меньше номер клюшки, тем длиннее у нее ручка и более плоский наконечник. Чтобы мяч летел далеко, нужна клюшка с маленьким номером. Если вам нужно ударить легко и точно, подойдет клюшка с большим номером. По правилам в сумке может находиться до четырнадцати клюшек, но практически любой игрок вполне обходится шестью основными клюшками (половинный набор) и тремя специальными.

Стоят ли уроки гольфа тех денег, что вы за них заплатите? Чтобы помочь вам ответить на этот вопрос, замечу, что исправить уже приобретенные, когда вы только начинали, дурные навыки очень трудно. Вы можете взять какую-нибудь книгу и попытаться улучшить свою игру, но большинство экспертов сходятся на том, что писать о правилах нанесения удара по мячу гораздо легче, чем осуществить этот прием на практике. Лучше всего провести пару дней на поле вместе с приятелем, который знает, как это делается.

Что вы можете сказать

«Еще одно «тройное пугало», и я буду полностью удовлетворен». (Загнать мяч в лунку с определенного количества ударов — называется «равенством». Если вы сделали на один удар больше, это называется «пугалом», на два удара — «двойное пугало», на три — «тройное» и т. д.)

«Эта женщина только что сделала «двойного орла», она настоящий профессионал». (Если игрок сумел сделать на один удар меньше «равенства», это называется «птичкой», на два удара меньше — «орел», на три — «двойной орел».)

«Мне кажется, что гольф похож на шахматы». (Каждый раз, прежде чем ударить по мячу, вам нужно как следует подумать, чтобы следующий удар был максимально легким.)

«Как сказал Кевин Костнер, удовольствие от забитого мяча ни с чем не сравнить». (И с этим согласятся практически все игроки.)

«Гольф — это прекрасный повод с утра попить пивка» (Гольф — единственная игра, в которой принято по утрам пить пиво.)

Когда вы хотите сменить тему...

«Удивительнее всего для меня в феномене Тайгера Вудза...» (Здесь можете вставить любое замечание, какое вам захочется. Например, не слишком ли большое значение придают нынче спортивным достижениям? И как это кому-то пришло в голову дать ребенку имя Тайгер? И т.д.)

Мудрый совет

Прежде чем покупать экипировку для гольфа, советую вам взять несколько уроков и узнать у преподавателя, каковы ваши успехи и перспективы в этой игре. Следите за своим гардеробом. Никогда не пейте, если собираетесь играть. И последнее, но немаловажное: то, что рассказывают об убитых молнией игроках в гольф, чистая правда. Поэтому, когда небеса хмурятся, лучше прекратить игру и укрыться в безопасном месте.

Как произвести впечатление на окружающих своими познаниями о

ВЫСКАЗЫВАНИЯХ ЗНАМЕНИТЫХ ЛЮДЕЙ

Легче всего показаться умнее, чем вы есть, и произвести впечатление, процитировав (но только к месту!) слова известного человека. Люди постоянно пользуются этим приемом. Как только вам представится возможность, постарайтесь не разочаровать своих друзей.

Общий обзор

Ниже мы приводим несколько полезных фраз, написанных или произнесенных знаменитыми людьми. Выберите те, которые покажутся вам наиболее интересными, и не пожалейте времени, чтобы заучить их наизусть. В следующий раз, когда вам придется вести разговор или выступать публично, вы сможете проявить оригинальность и удивить собеседников или аудиторию.

Что вы можете сказать

ПОЛИТИКИ И ИСТОРИЯ

«Цивилизация — это движение, а не состояние, путешествие, а не гавань (место стоянки)».

Арнольд Тойнби, историк

«Продолжительное военное превосходство не идет на пользу ни одной стране. Умение бороться и побеждать во всех битвах — это еще не совершенство; высшее совершенство — сломить сопротивление врага без сражения».

Сун Цзу

«Когда сражение выиграно — уставших нет».

Арабская пословица

«Люди всегда верят в то, во что хотят верить»

Юлий Цезарь

«Правительство — это единственный корабль, который дает течь с верхушки».

Джеймс Рестон

«Правительство — это гигантский младенец с невероятным аппетитом с одного конца и полной безответственностью с другого».

Рональд Рейган

«Форма правления, наиболее приемлемая для художника, это полное отсутствие всякого правления».

Оскар Уайльд

ПРИРОДА

«Дикая природа — вот гарантия сохранения нашего мира».

Генри Дэвид Торо

«Для художника в природе не существует ничего уродливого».

Огюст Роден

«Природа никогда не нарушает собственных законов».

Леонардо да Винчи

УДАЧА И СУДЬБА

«Фортуна многим дает достаточно, но все — никому».

Марциал

«Время — величайшая ценность для человека».

Теофраст

«Самые великие мысли рождаются в сердце».

Люк де Клапье

«Нет ничего невозможного для того, кто стремится».

Джон Хейвуд

«Задержка смерти подобна!»

Шекспир

ДУХОВНОСТЬ И РЕЛИГИЯ

«Дорогой к Гадесу идти легко».

Бион

«Бог помогает тем, кто сам себе помогает».

Бенджамин Франклин

«Цель жизни — быть в согласии с природой».

Дзено

«Размышляя, придерживайся простоты».

Лао Цзы. Советы по праведной жизни

«Единственная полная любовь — это любовь к богу».

Джордж Харрисон

ОБЩЕСТВЕННАЯ ЖИЗНЬ

«Телевидение — это жвачка для глаз».

Фрэнк Ллойд Райт

«Для того, чтобы газеты были ответственными, ответственными должны быть их читатели».

Артур Сульцбергер

«Необходимости не нужен закон».

Святой Августин

«Если вы обнаружили ошибку, то постарайтесь понять, что мы сделали ее неумышленно. Мы пытаемся понравиться всем, но всегда находится повод для критики».

Известное — но скорее всего вымышленное — обращение редактора газеты к читателям

КОНФЛИКТЫ И ВЫЖИВАНИЕ

«Никогда не доверяй незнакомцу, сынок. Тебе не выжить в джунглях, если ты будешь верить каждому встречному».

Артур Миллер

«Порхай, как бабочка. Жаль, как оса».

Мохаммед Али

«Неподчинение в глазах любого изучающего историю — это свойство, присущее любому человеку. И прогресс возможен только благодаря неподчинению и бунту».

Оскар Уайльд

ИСКУССТВО СДЕЛАТЬ КАЖДЫЙ ДЕНЬ СЧАСТЛИВЫМ

«Смех свойственен любому человеку».

Франсуа Рабле

«Пусть каждый занимается своим делом».

Мигель де Сервантес

«Для пьянства пять причин есть у меня:
Я трезв сегодня, или собрались мои друзья,
Или вино хорошее нашел,
Или мой друг единственный ушел,
Или по любой другой причине».

Генри Олдрич

«Боль кратковременна, радость — вечна».

Шиллер

«Отношения между людьми подобны шахматам: только тех, кто не воспринимает их всерьез, можно назвать хорошими игроками».

Ху Су Ченг

Когда вы хотите сменить тему...

Вы должны быть готовы объяснить, что заставило вас запомнить ту или иную цитату, почему она важна для вас. Такое объяснение поможет направить беседу в любом удобном вам направлении — на систему образования или развитие памяти у детей.

Мудрый совет

Не пытайтесь монополизировать разговор. Лучше всего заполнить паузу цитатой или воспользоваться ею для того, чтобы удачно провести параллель между темой разговора и понравившимся вам высказыванием. Слишком большое количество цитат вне всякой связи с темой разговора производит плохое впечатление.

Как произвести впечатление на окружающих своими познаниями о

ИСТОРИИ ЗЕМЛИ И ЭВОЛЮЦИИ ЧЕЛОВЕКА

Каков возраст человечества? А если сравнивать его с возрастом динозавров? Когда на Земле появились леса? А если говорить об эволюции, то что появилось раньше — курица или яйцо?

Давайте сначала ответим на самый распространенный, последний вопрос, потому что на него существует правильный и очень разумный ответ. Сначала появилось яйцо. Почему? Потому что цыпленок, как и любое другое живое существо, развивается. Представим себе гипотетического цыпленка № 1. Первый цыпленок нарушил линию эволюции — именно первый, которого действительно можно было назвать цыпленком, — а откуда он появился? Правильно, он произошел от предшествующего курице вида, имевшего ту же самую репродуктивную систему, что и цыпленок № 1. Это означает, что наш гипотетический цыпленок появился из яйца, хотя его мать с трудом можно было назвать курицей. Это была скорее *пред*курица. Не знаю, как вам, а мне такое объяснение кажется разумным.

Теперь, когда мы прояснили один из наиболее популярных вопросов, связанных с эволюцией, давайте перейдем к основному вопросу — как шла эволюция на Земле? Какие существа появились первыми в фундаментальном смысле слова? И когда именно? Если ваш интерес ограничивается цыплятами и курицами, можете здесь и остановиться — они, как и остальные современные птицы, появились 65 — 200 миллионов лет назад. Разумеется, тогда они были вполне дикими. Если вас интересуют и другие существа, обитающие на нашей планете, а также геологические события, происходившие на Земле на различных этапах ее развития, читайте дальше.

Общий обзор

Давайте окунемся в глубокую древность, примерно на 4,6 миллиарда лет назад. Мы попадаем в докембрийскую эру. Этот период длился четыре миллиона лет. Ученые полагают, что жизнь на Земле зародилась именно тогда. Основные события этого периода: появление клеток бактерий, водорослей и грибов.

Очевидно, на этом этапе должны были появиться и морские беспозвоночные. Но его можно назвать периодом долгого и безраздельного господства водорослей. Сегодня водоросли кажутся нам скучными и неинтересными, но именно им мы обязаны зарождением жизни на Земле. Нам нельзя забывать об этом. Благодаря процессу фотосинтеза, который идет в сине-зеленых водорослях, в атмосферу Земли поступает наибольшее количество кислорода.

570 миллионов лет назад началась палеозойская эра. Ее часто называют эпохой древней жизни. В сравнении с докембрийской эрой в палеозое жизнь буквально сорвалась с катушек. Около 500 миллионов лет назад появились наземные растения, которые благополучно развивались на протяжении почти ста миллионов лет. В это же время появились первые рыбы, около 410 миллионов лет назад на землю выползли первые земноводные. К окончанию палеозойской эры возникли первые насекомые, которые прекрасно известны и нам с вами, а также некоторые рептилии, отчасти напоминавшие млекопитающих.

В мезозойской эре время помчалось еще быстрее. Эта эпоха длилась примерно 130 миллионов лет. Ее называют еще временем динозавров. Огромные и не очень огромные динозавры обитали в первобытном лесу, преимущественно состоявшим из папоротников и хвощей. Благодаря популярным голливудским фильмам, которые видел практически каждый человек, мы знаем, что один из периодов мезозоя назывался юрским. Это был расцвет мезозойской эры. Юрскому периоду, когда на Земле появились динозавры, предшествовал триасовый период, а следом за юрским наступил меловой период, когда динозавры вымерли, а на смену им пришли примитивные млекопитающие. Птицы, которые прекрасно знакомы нам с вами, также появились в меловой период.

Следом за эпохой динозавров наступила эпоха млекопитающих. Наконец-то. Ну теперь уж мы можем познакомиться с предками? Не совсем так. Потребовалось более ста миллионов лет, чтобы обезьяна достигла высшей стадии развития. Примерно 38 миллионов лет назад начали формироваться леса. И еще через 32 миллиона лет появилось человекообразное существо. Гоминиды, первые люди, — дети каменного века, который начался примерно 3,5 миллиона лет назад. В то же время зародились крупные плотоядные. А затем пошли ледниковые периоды. Четыре раза ледник наступал на планету. Очень большое количество видов животных не смогли выжить в таких условиях. Но наши предки оказались куда как сообразительными!

Когда ледниковые периоды завершились, наступило самое непродолжительное относительно других эпох время — время господства современного человечества. Вот теперь действительно наконец-то!

Итак, когда же появился человек в том виде, в котором он существует сейчас? Когда возник вид homo sapiens? С какого времени мы заняли вершину пирамиды, построенной нами же самими? В грандиозной эволюционной схеме мира мы с вами господствуем всего мгновение. Холоценовая эпоха четвертичного периода кайнозойской эры — или, говоря проще, то время, в котором мы с вами живем, — продолжается всего десять тысяч лет.

Это наше время. Десять тысяч лет. От наскальных рисунков до Гомера, Конфуция и Шекспира, до появления электронной почты... Все эти события укладываются в тоненькую полоску на шкале времени. Если не знать, куда смотреть, то ее можно и не заметить. Да если и знаешь, без увеличительного стекла не разглядишь.

Что вы можете сказать

«Люди забывают, что они появились на этой планете совсем недавно». (Как мы с вами уже увидели, история жизни на Земле началась примерно 4,6 миллиарда лет назад. Это означает, что эволюция человека и культуры занимает крохотный отрезок времени по сравнению с гигантским периодом развития жизни. Короткое замечание: мы с вами здорово порезвились с момента появления на празднике жизни. В следующий раз, когда, посещая зоопарк, вы почувствуете себя царем природы, посмотрите на крохотных, но прошедших испытание временем москитов, — человек еще совсем новичок в этом мире.)

«Чарлз Дарвин не был первым, кто развил эволюционную теорию». (Эволюционные концепции мы находим уже в работах древнегреческих философов, таких как Фалес, Эмпедокл, Анаксимандр и Аристотель. Развил эти идеи французский натуралист Жан-Батист Ламарк. На протяжении долгих веков господства христианской церкви любые исследования в области эволюционной теории жестоко преследовались, поскольку они противоречили первой книге Бытия. Удивительно, что Дарвин разработал свою теорию эволюции практически одновременно с другим английским ученым, Альфредом Расселом Уоллесом. Уоллес работал независимо от Дарвина, и его теория практически идентична Дарвиновой. Он послал рукопись ученому, чтобы получить его замечания, в тот момент, когда Дарвин перерабатывал свою книгу «Происхождение видов», над которой работал шестнадцать лет! (Затем оба ученых совместно выступили перед научным сообществом, представив на суд коллег рукопись Уоллеса и выдающуюся книгу Дарвина.)

«Люди забывают, что автором фразы «выживает сильнейший» является совсем не Дарвин». (Автор этого афоризма Герберт Спенсер — английский социолог. Идея Спенсера заключена в том, что организмы, которые не могут эффективно приспособиться к окружающей среде, вымирают, и их вид практически исчезает. Те же, кто способны бороться, благополучно процветают и развиваются.)

Когда вы хотите сменить тему...

...просто скажите, что книга Дарвина «Происхождение видов» оказала на человечество такое влияние, как ни одна из печатных работ (хотя потребовалось время для признания этого факта). Спросите своих собеседников, могут ли они назвать другую, столь же значительную книгу. Библия? Цитатник председателя Мао? «Долина кукол»? Варианты бесконечны.

Мудрый совет

Если вам придется встретиться с собеседником, который станет утверждать, что мир существует всего несколько тысяч лет, а чрезвычайно интересные в социологическом и культурном плане мифы о создании мира, изложенные в Книге Бытия, способны выдержать самую придирчивую научную критику (но сами вы так не считаете), не пытайтесь его переубедить, приводя последние данные научных исследований. Улыбнитесь, кивните, скажите, что эта точка зрения чрезвычайно интересна, и переведите разговор на другую тему, в которой и вы, и ваш собеседник достаточно компетентны. Советую поговорить о погоде.

Как произвести впечатление на окружающих своими познаниями о

ГОМЕРОВОЙ «ОДИССЕЕ»

«Одиссея» — одно из древнейших произведений западной литературы. (Другая книга, приписываемая тому же автору, «Илиада».) Она оказала огромное влияние на развитие литературы.

В древности из двух поэм Гомера «Илиада» считалась более значительной. До сегодняшнего дня ученые спорят о том, созданы ли эти два произведения одним автором. Стиль «Илиады» существенно отличается от стиля «Одиссеи». Если автор «Илиады» эпически нетороплив и в то же время довольно воинствен, автор «Одиссеи» сложнее, разнообразнее, много внимания уделяет вопросам дома и семьи, погружается в исследование личности. Обе поэмы первоначально создавались как устные произведения. Чтобы не углубляться в дебри, давайте все же согласимся с общепринятой точкой зрения, что автором этих бессмертных поэм был Гомер.

На протяжении последних нескольких веков читателей больше увлекала «Одиссея». Поэма настолько многообразна, что оказала влияние на развитие всей античной литературы. Но не менее велико ее значение и для литературы современной — особенно современного западного романа. На популярном недорогом издании «Одиссеи» написано: «Эта книга — предшественник длинной череды романов, которые за ней последовали».

Итак, что же это за произведение?

Общий обзор

«Одиссея» — это эпическая поэма. В древности ее распевали рапсоды. Она была создана в VIII веке до нашей эры. В традиционной для Древней Греции форме поэма повествует о приключениях воина Одиссея, возвращающегося с Троянской войны на свой родной остров Итаку. (Латинское имя Одиссея — Улисс.) Ученые полагают, что Троянская война, была примерно около 1200 года до нашей эры.

Герой этих невероятных приключений — хитроумный, смелый и довольно расчетливый человек. Он стремится выжить, выжить любой ценой, ему и его спутникам в их долгом авантюрном путешествии порой приходится действовать по тем же правилам, что и героям «Звездного пути», открывающим неизвестные планеты и новые миры. У Одиссея, царя Итаки, понятно, нет ни лазеров, ни дилитиевых кристаллов. Он может полагаться только на свой ум, сообразительность, никогда не изменяющую ему храбрость. Путь его будет долгим — очень долгим. Но в конце концов он возвратится на родину, где его ждут жена и сын.

Повествование развивается по двум сюжетным линиям: Одиссей вынужден скитаться по морям, потому что невольно обидел морского бога Посейдона, и тот чинит ему всяческие препятствия; его сын, Телемак, вдохновляемый богиней Афиной, мешает претендентам захватить имущество отца, женившись на его верной и терпеливой жене Пенелопе. Молодой человек отправляется на поиски Одиссея, узнав, что тот стал пленником нимфы Калипсо. Одиссей пытается вернуться домой. Телемак старается разыскать отца. И оба встречаются на острове Итака благодаря помощи благожелательной богини Афины. Одиссей скрывается под обликом бродяги. Он разрабатывает стратегию, которая позволяет ему и Телемаку победить наглых женихов и вернуть дворец. После долгих лет разлуки верная Пенелопа смогла наконец обнять любимого мужа.

Это основная сюжетная канва произведения — но столь краткий обзор не может дать вам полного представления о невероятной эмоциональной напряженности и психологической глубине героев «Одиссеи». Ниже приводится список основных персонажей бессмертной поэмы Гомера. Вы можете упомянуть их в разговоре, чтобы произвести впечатление знающего человека.

АФИНА — богиня мудрости и главный союзник Одиссея. Именно Афина помогла ему пройти через все трудности и испытания на пути домой. В ключевые моменты его жизни Афина давала Одиссею, а также Телемаку полезные советы относительно того, как следует поступить в той или иной ситуации. Именно по внушению Афины Телемак отправляется в море, чтобы узнать о судьбе отца.

ЖЕНИХИ — толпа жадных, крикливых и наглых претендентов на руку якобы овдовевшей Пенелопы, расположившихся во дворце Одиссея. Они требовали от Пенелопы либо разделить между ними богатства Царя Итаки, либо выбрать коголибо из них в мужья. Пенелопа годами дурачила их, чтобы не принимать оскорбительных для памяти ее мужа предложений. (Она объясняла женихам, что не может выйти замуж, пока не изготовит саван для отца Одиссея, Лаэрта. По ночам она распускала то, что успевала соткать за день.) Среди женихов особенно выделялись двое — высокомерный и дерзкий Антиной и Эвримах. Угадайте, кто из женихов погиб первым, когда Одиссей вернулся на Итаку?

ЛАЭРТ — старый отец Одиссея. Он никогда не был воином. То, что его сын не вернулся с войны, так глубоко угнетало Лаэрта, что он не мог править островом. Но в конце концов Одиссей возвращается, и они радостно празднуют встречу.

АНТИКЛЕЯ — мать Одиссея, умершая от тоски, когда ее сын покинул Итаку. Одиссей встретился с матерью в мире мертвых, но не мог прикоснуться к ней.

ЭВМЕЙ — верный слуга Одиссея. Он радушно принял царя, когда тот вернулся на Итаку, несмотря на его неприглядное обличье. В благодарность за гостеприимство и помощь в борьбе с женихами Одиссей впоследствии подарил ему земли и дал титул.

ЭВРИКЛЕЯ — нянька Одиссея. Она осталась верна ему и узнала царя, когда тот вернулся на Итаку под видом бродяги, по шраму на ноге, но хранила до срока эту тайну, чтобы не выдать Одиссея.

ФИЛОЭТИЙ — пастух. Вместе с Эвриклеей и Эвмеем так же оставался верен Одиссею. Он закрыл ворота дворца и запер там женихов.

МЕНЕЛАЙ — царь Спарты, если бы не его семейные проблемы, Троянская война никогда бы не разразилась, и Одиссей мог бы избежать массы проблем. Менелай был храбрым воином. Он сражался рядом с Одиссеем в Трое. Освободив свою жену, Елену Прекрасную, он оказал гостеприимство сыну Одиссея Телемаку, рассказал об отце и оказал ему поддержку.

НЕСТОР — старый боевой товарищ Одиссея. Телемак встретился с ним на Аргосе в надежде узнать об отце.

КАЛИПСО — нимфа, влюбившаяся в Одиссея и не отпускавшая его со своего острова. Он провел с ней семь лет.

ЦИРЦЕЯ — волшебница. Ее питье превратило спутников Одиссея в свиней. Одиссей сначала угрозами, а затем ласками (он «отведал ее сладости» — излюбленный эвфемизм моего учителя) убедил Цирцею вернуть своим спутникам нормальный вид. Волшебница отпустила Одиссея, но только после того, как он со своими друзьями провел на ее острове год. Цирцея подсказала ему надежный способ вернуться на Итаку.

АЛКИНОЙ — царь феаков. Он с радушной щедростью принял Одиссея, выслушал рассказ о невероятных приключениях странника и способствовал его возвращению на родную Итаку.

АРЕТЕ — царица феаков. (Это имя по-гречески означает «добродетель».)

НАВСИКАЯ — дочь Алкиноя и Арете. Нашла Одиссея на берегу, в своей стране, куда его забросил ветер странствий, и помогла ему встретиться со своими родителями — царем и царицей.

ПОЛИФЕМ — циклоп, сын Посейдона, из-за него-то у нашего героя и возникли серьезные неприятности. Почему? Потому что Одиссей сумел перехитрить его и выбраться из пещеры кровожадного циклопа, выколов ему единственный глаз. Что совершенно справедливо, так как Полифем уже сожрал четырех спутников Одиссея. Однако это навлекло на него гнев Посейдона, из-за чего возвращение на Итаку превратилось в весьма трудное предприятие.

ПОСЕЙДОН — бог морей, отец Полифема. Если вы настоящий, достаточно серьезный бог, то просто обязаны мучить смертных, которые не относятся к вам с должным почтением. А Одиссей не только ослепил кровожадного Полифема, но еще и издевался над повелителем стихий с борта корабля. Естественно, Посейдон отложил все свои дела и начал преследовать Одиссея, строя ему каверзы и уничтожая его спутников. Правило для тех, кто хочет выжить: никогда не служите под началом человека, который вступил в конфликт с кем-то из богов. (Если бы не заступничество Афины, Посейдон погубил бы Одиссея. Но тогда Гомеру не о чем было бы рассказывать.)

ЭВРИЛАК — один из спутников Одиссея, который по неразумию часто вступал в споры со своим начальником. Эврилак с товарищами оказались настолько глупы, что попытались захватить стадо коров, принадлежавшее Гелиосу, что вызвало гнев Зевса. В результате все погибли.

ТИРЕСИЙ — искусный прорицатель, с которым Одиссей встретился в царстве мертвых. Он предложил царю Итаки искусный план, как ему добраться до дома, — но прежде уладить испорченные отношения с Посейдоном. Последовав совету Тиресия и принеся Посейдону жертвы, Одиссей наконец смог спокойно доплыть до берегов родной Итаки. «Ты вернешься домой и принесешь еще жертвы вечным богам, живущим на небесах... А смерть придет к тебе из моря. И когда она позовет тебя, ты будешь глубоким старцем и будешь жить, окруженный счастливым и благополучным народом». Так прорицал Тиресий. И Одиссей вернулся домой и победил врагов, занял трон, правил мудро и дожил до глубокой старости.

Что вы можете сказать

«Как вы думаете, существовал ли на самом деле Гомер?» На этот вопрос нельзя ответить однозначно. Может, да, а может, и нет. Ученые не уверены, существовал ли на самом деле автор «Одиссеи», по греческим преданиям, слепой певец, или эту поэму написали несколько людей, а возможно, у нее было два соавтора. Ученые не сомневаются лишь в том, что эта поэма возникла в древности и с тех пор неоднократно переделывалась, пока не приобрела окончательную форму. В таком виде она и дошла до нас, сумев пережить века и даже тысячелетия, и стало величайшим литературным произведением человечества.

«В конце концов вопросы авторства возникают всегда. Сколько копий было сломано из-за Шекспира! Кто бы ни написал «Одиссею», она все равно остается величайшим произведением литературы». Если у вас достанет храбрости, можете упомянуть об Демодокосе. Это слепой певец, который подал Одиссею идею Троянского коня. Некоторые ученые полагают, что в образе Демодокоса Гомер изобразил себя.

Когда вы хотите сменить тему...

...просто упомяните о том, что в позднейшей литературе Одиссей стал прототипом геров, на чью долю выпало много страданий и приключений. Его можно узнать и в Гамлете, и в кэрролловой Алисе, и в Леопольде Блюме, и в бесчисленном множестве литературных героев. Такое замечание дает вам возможность для маневра. Вы можете перевести разговор на Шекспира, Льюиса Кэрролла или Джеймса Джойса, который избрал гомеровскую поэму в качестве образца для своего бессмертного «Улисса».

Мудрый совет

Стоит только начать, и вы прочтете «Одиссею» за неделю или даже быстрее без всякого напряжения. И никогда не пожалеете о потраченном времени. Держите книгу на ночном столике и листайте до тех пор, пока не увлечетесь каким-нибудь особенно интересным моментом (а это случится очень скоро, уверяю вас!). Вы тут же попадетесь на крючок, и тогда вас уже за уши не оттянешь от чтения.

Как произвести впечатление на окружающих своими познаниями о

ЛОШАДЯХ

Каждой лошади нужен свой дом, теплый и уютный. Еще много еды, теплые попоны, дорогие кожаные аксессуары, и ни одна лошадь не может обойтись без ежедневной прогулки. Принимая во внимание все вышеизложенное, нужно признать, что лошадям живется куда лучше многих людей. О владельце породистой лошади можно сказать, что он не чужд конному спорту и что у него достаточно наличности, чтобы позволить себе такую роскошь.

Предполагаю, что у вас, мой читатель, лошади нет. Допустим, что вы в жизни не ездили верхом. И допустим также, что вы хотите побольше узнать о лошадях, но они вас, по правде говоря, несколько пугают.

Страх — прекрасный спутник начинающего наездника: страх перед животным и уважение к нему порой идут рука об руку. И любой честный наездник признает, что одна-две лошади в его жизни внушали ему настоящий страх.

Даже если вы никогда не садились в

5 Зак. № 2842 Гамильтон

седло, вы можете вполне квалифицированно принять участие в беседе на тему верховой езды — и сохранить лицо во время прогулки по конюшне. В этом вам поможет наш общий обзор.

Общий обзор

Выезженная лошадь (или объезженная, если речь идет о ковбоях) уже подготовлена, она прекрасно знает, чего наездник от нее ждет. Такая лошадь мгновенно реагирует на тихий голос, легкое касание, на кусочек сахара или морковку.

Лошадь видит каждым глазом отдельно. (Кроме того, ее глаза увеличивают предметы.) Верховая лошадь приучена к тому, что ее седлают слева. И наездник должен садиться в седло слева. Поэтому подходить к ней спереди — не самая лучшая идея. Встаньте слева от лошади, разговаривайте с ней тихо и спокойно. Ваши движения должны быть неторопливыми и уверенными. Если лошадь не дается, попробуйте предложить ей кусочек сахара. Это не лучший вариант, но внимание животного вы, несомненно, привлечете.

Первое испытание на храбрость вам предстоит пройти, когда лошадь захочет взять у вас с руки еду. Не волнуйтесь, она прекрасно знает, что то, что лежит на вашей ладони, куда вкуснее ваших пальцев.

Лошадь может укусить, только если вы будете крепко сжимать предлагаемое ей лакомство. Поэтому положите морковку или сахар на ладонь, чуть согнув ее лодочкой. Лошадь опустит массивную голову к угощению, понюхает его, возьмет в рот, а потом подумает, стоило ли ваше подношение ее усилий. Держитесь спокойно, иначе животное может испугаться и выбить угощение из руки — хорошо же вы тогда будете выглядеть! Если все сделаете правильно, лошадь примет морковку и съест ее у вас на глазах.

Возьмитесь за уздечку (кожаные ремешки, которые проходят по бровям и носу лошади) возле головы лошади. Продолжайте разговаривать с ней в том же спокойном и уверенном тоне. Слегка потяните за уздечку на себя. Почешите животное за ухом, по лбу, между глазами. Ваши движения должны быть направлены вверх и вниз. Затем нежно погладьте мягкий нос между ноздрей. Если на лошади нет уздечки, медленно и спокойно протяните руку и погладьте лошадь за ухом — большинство животных это любят, как, впрочем, и люди.

Не забывайте, что к лошади нужно подходить слева и не делать резких движений. Лошадь всегда должна знать, где вы находитесь. Как огня бойтесь встать позади животного. Если вам нужно пройти за лошадью, похлопайте ее по крупу, словно приятеля по плечу, спокойно пройдите за ней и встаньте так, чтоб находиться в поле ее зрения. Чем ближе вы к лошади, тем легче избежите лишних неприятностей, если ей вдруг вздумается взбрыкнуть. Если вы отойдете слишком далеко, она может броситься на вас.

Внимательно следите за ногами животного, потому что многие нервные лошади любят лягаться. Особенно внимательным следует быть к лошадям, чей хвост перевязан красной ленточкой. Это означает, что лошадь — большая любительница лягаться, и разумнее будет держаться подальше от ее задних ног.

А теперь, когда вы кое-что узнали, вам, конечно, не терпится приступить к верховой езде. Есть два способа, испытанных и проверенных временем. Во-первых, вы можете забраться в седло и отдаться на волю господню. А во-вторых, заплатить человеку, который сможет вас научить. Хотя многие добиваются вполне приличных результатов самостоятельно, я лично настоятельно рекомендую вам прибегнуть к помощи тренера.

Что вы можете сказать

Предлагаю вам некоторые полезные фразы, которые вы можете вставить в разговоре, чтобы произвести впечатление знатока.

«Это поистине королевское животное!» (Советую вам обращаться к лошади нейтрально, так сказать, в половом смысле. И это вполне разумно. Глядя на животное спереди, вы не всегда понимаете, кто перед вами — жеребец, мерин (кастрированный жеребец) или кобыла. Новорожденного жеребенка называют стригунком.)

«Он напоминает мою первую лошадь, Тэффи. Она укусила меня, когда мне было семь. Но видит бог, как же я любил эту лошадь!» (Если животное сторонится других лошадей и предпочитает одиночество, то это наверняка жеребец. Лично я поостерегся бы приставать к такому коню. Яблоко или кусок сахара — явно не то, что ему сейчас нужно. Не расположен такой конь и к завязыванию новых знакомств. По крайней мере, не с вами. Скорее всего этому жеребцу предстоит выполнить важную племенную работу. Если вы хотите понаблюдать за тем, как в мире лошадей мальчик встречается с девочкой, то должен вас предостеречь — это весьма специфическое зрелище. Поэзии и свечей в нем не бывает.)

«Вы позволите, я угощу (имя лошади) вкусненьким?» (Лакомство может завоевать сердце лошади, но все же нужно сначала спросить разрешения у хозяина. Возможно, именно эту лошадь он держит на особой диете. Подойдите к ней, протяните пригоршню зерна и положите в таком месте, где она точно увидит ваше угощение. Продолжайте разговаривать с животным, и лошадь сама подойдет к вам. Если вы подготовились к посещению конюшни, у вас наверняка найдется яблоко или кусочек сахара. Их полезно иметь для такой прогулки.)

«Наш Берни был чистокровным аппалусой, шестнадцати с половиной ладоней в холке». (Высоту коня измеряют от земли до лопатки — самая удобная точка отсчета, обычно в ладонях. Одна ладонь равна примерно четырем дюймам (10 см). Значит, ваш Берни был высотой в пять футов шесть дюймов (168 см). Аппалуса — это популярная в США порода верховых лошадей, выведенная на западе, с пятнистой шкурой, полосатыми копытами и глазами, в которых особенно выделяется белок. Теперь вы наверняка узнаете животное, напоминающее вам мифическую лошадь вашего детства. Если вам предложат прокатиться, можете вежливо отклонить предложение — романтические воспоминания молодости не следует тревожить.)

«Что случилось, парень, где-то притаилась шайка разбойников?» (Разумеется, эти слова можно произносить только в шутку, причем обращаясь к лошади, а не к ее хозяину. Уши коня могут дать внимательному человеку массу информации. По ним легко понять состояние животного. Если лошадь спокойна, ее уши наклонены вперед. Если она слышит незнакомый звук, то всегда направляет ухо в сторону источника звука.)

«Помню, как дедушка сказал мне однажды, что лошадь может дышать только носом, какой бы усталой она ни была». (Это и является причиной того, что лошади так подвержены перегреву и сильно потеют.)

«Похоже, вы мчались как ветер и сильно вспотели». (Это выражение можно применить лишь к неопытному всаднику. Хороший наездник никогда не допускает такого. Лошадь требует тщательного ухода сразу после прогулки: ее нужно поводить, обмыть теплой водой и обтереть. Когда ночи становятся холодными, лошадей накрывают попонами.)

«Мне нравится ваш охотничий костюм — где вы его получили?» (Участники охоты обычно надевают красные пиджаки. Вы должны заслужить право на красный пиджак и на участие в охоте. Все остальные надевают черные пиджаки.)

Когда вы хотите сменить тему...

Можете упомянуть некоторых известных в истории и мифологии лошадей.

Буцефал — конь Александра Македонского. Он был настолько диким, что никто, кроме великого завоевателя, не мог ездить на нем.

Байерли Тек — один из трех жеребцов, основателей породистых лошадей.

Чинг Чу — один из шести знаменитых боевых коней китайского императора Тай Цунга.

Копенгаген — любимый верховой конь герцога Веллингтона. Полководец восседал на нем в битве при Ватерлоо.

Дарли Араб — один из трех жеребцов, основателей породистых лошадей.

Фликка — мой и ваш друг из книги Мэри О'Хара.

Ирокез — первый американский конь, выигравший английское дерби.

Маренго — любимый конь Наполеона. Он был с ним в битве при Ватерлоо.

Нельсон — белый конь генерала Джорджа Вашингтона. Этого коня изображают на всех портретах генерала. Верхом на Нельсоне Вашингтон командовал битвами при Вэлли Фордж, Йорктауне и Маунт Вернон.

Пегас — крылатый конь из греческой мифологии, доставлял молнии Зевсу. Сегодня это имя носит созвездие Северного полушария.

Султан или Айвен — любимый конь Вильяма Коди, которого называли еще Буффало Биллом.

Трэвеллер — конь генерала Роберта Ли. Был с ним в битве при Аппоматоксе.

Вы можете также перевести разговор на Шекспира, процитировав фрагмент из «Венеры и Адониса»:

> Когда художник превзойти стремится
> Природу, в красках написав коня,
> Он как бы с ней пытается сразиться,
> Живое мертвым дерзко заменя...
> Но конь живой — чудесное созданье!
> В нем все прекрасно: сила, пыл, дерзанье.
>
> С широкой грудью, с тонкой головой,
> С копытом круглым, с жаркими глазами,
> С густым хвостом, с волнистою спиной
> С крутым крестцом, с упругими ногами —
> Был конь прекрасен! Нет изъянов в нем...[1]

Мудрый совет

Если вы собираетесь блеснуть умением наездника или даже просто покататься верхом, в компании с друзьями, умоляю вас, обязательно возьмите несколько уроков! Не дай бог, сломаете себе шею.

---

[1] Перевод Б. Томашевского

Как произвести впечатление на окружающих своими познаниями о

ЧЕЛОВЕЧЕСКОМ МОЗГЕ

Если вы специалист в области познаний о человеческом мозге, вы гарантированно сможете поговорить на эту тему практически в любой компании, — конечно, если не станете утверждать, что голова у вас варит куда лучше, чем у любого из присутствующих.

Надо признать, что большинство из нас и представления не имеют, как работает мозг и что нужно делать, если он работать отказывается. Этот орган остается почти полной загадкой, несмотря на многолетние исследования, и прекрасной темой для разговора, обсуждения и журнальных статей. Мудрое наблюдение Страшилы из «Волшебника Изумрудного города» совершенно справедливо и сегодня: «Некоторые люди без мозгов очень много говорят». Не кажется ли вам, что он насмотрелся реклам, которые крутят по телевизору?

Именно мозг делает нас теми, кто мы есть. И остается наиболее непознанной частью человеческого организма. Это собрание «маленьких серых клеточек» (как постоянно говорил любимый герой Агаты Кристи Эркюль Пуаро) на протяжении лет сравнивали со счетами, с системой водоснабжения, с паровым двигателем, с простейшей электрической схемой и наконец с персональным компьютером. А потом его наверняка уподобят как-нибудь еще с высочайшими достижениями технологии, которые человечеству еще только предстоит достичь.

С чем бы вы ни сравнивали мозг — с суперкомпьютерами или кристаллическими микросхемами, он все равно останется самым загадочным органом человеческого тела. Ученые не могут воспроизвести его механическим образом. Они даже не в состоянии понять процесс мышления. И никто еще не объяснил, почему электрошок дает положительные результаты в некоторых случаях психических заболеваний. (Эту процедуру можно сравнить с тем, как вы стучите по неработающему телевизору.) Мы многое знаем о строении мозга и о процессах его развития. Деятельность этого множества «серых клеток» позволила человечеству отправиться в космос, написать такие шедевры, как «Гамлет» и Библия, а также заполнить документы на возврат налога с добавленной стоимости и прочесть эту книгу.

Общий обзор

Головной мозг — это основная часть центральной нервной системы. Именно он отвечает за память, мысли, эмоции и осуществляет управление нашим телом. Мозг состоит из нейронов и поддерживающих их клеток (примерно от ста до двухсот миллиардов клеток). Он располагается внутри черепа и весит примерно 1360 г к тому моменту, когда человек достигает шестилетнего возраста. Мозг — наиболее защищенный орган человеческого тела. Только он один заключен в костную коробку. Вокруг мозга существует три уровня защиты: кожа, череп и специальные мембраны, называемые мозговыми оболочками, которые также покрывают спинной мозг.

Мы знаем, что нейроны передают информацию из одного участка мозга в другой, но что именно делают нейроны — до сих пор остается предметом спора между учеными. (Другими словами, не пытайтесь утверждать, что вам-то все известно.) Хотя некоторые участки мозга связаны с определенными видами человеческой активности, мозг постоянно перепрограммируется, если говорить компьютерными терминами. Он компенсирует гибель некоторых клеток, а этот процесс идет в нашем теле постоянно. В некоторых случаях мозг может даже перестроить свою структуру, как, например, при серьезных травмах.

Чувствительные нервные клетки накапливают информацию, поступающую в мозг со всех участков тела. Мозг анализирует информацию и посылает мускулам и железам команды через моторные нервные клетки. Так функционирует наше тело. Эти сообщения передаются в виде электрических импульсов, почти как в компьютере.

Но все же, что такое мозг? Физически он состоит из трех основных частей: головного мозга (крупного и расположенного внутри черепной коробки), мозжечка и ствола мозга. Головной мозг состоит из двух полушарий. Он отвечает за процесс воображения, памяти и речи. Мозжечок обрабатывает приказы мозга и управляет движением тела, вырабатывая сигналы, управляющие бессознательными действиями — например, ходьбой. Ствол, связывающий головной мозг со спинным, выполняет координирующую роль.

Что вы можете сказать

«Не существует прямой связи между массой мозга и мыслительными способностями». (Это справедливо как для человека, так и для животных. Если вы решили высказать эту мысль, упомяните, что мозг слона гораздо больше, чем у человека или у орангутана, — но обладает гораздо меньшей мыслительной способностью. Однако справедливо, что мозг современного человека больше по отношению к размеру тела, чем у нашего прямого предшественника — австралопитека.)

«Трехлетний ребенок уже потерял половину клеток мозга, которые он получил при рождении». (Как уже упоминалось ранее, клетки мозга постоянно отмирают в процессе роста. Изменения ментальной активности, связанные с возрастом, также определяются отмиранием клеток в отдельных участках мозга, например в тех, которые отвечают за память.)

«Когда мы спим, мозг парализует нас во время фазы быстрых движений глаза». (Вот почему люди во сне не двигаются. Правда, иногда этот процесс нарушается — некоторые люди могут во сне ходить, разговаривать и даже танцевать.)

Когда вы хотите сменить тему...

Просто упомяните о том, что женский гормон прогестерон, который замедляет процессы роста мозга, применяется для лечения при тяжелых повреждениях мозга. А потом можете выразить удивление, не означает ли это, что подавляющее большинство мужчин отличаются пониженными ментальными способностями в сравнении с женщинами (голова пухнет не только от мировых проблем, но, бывает, и с похмелья). Так вы с легкостью переведете разговор на противоречие между полами, чего, собственно, вы и добивались.

Мудрый совет

Прочтите занимательную книгу доктора Оливера Сакса «Человек, который принял свою жену за шляпу», и вы найдете в ней массу интересной информации по различным неврологическим проблемам.

Постарайтесь избегать слишком смелых сравнений с компьютером, когда говорите о функциях мозга, — пока компьютеры не научатся перепрограммировать себя сами, уподоблять их мозгу было бы явным преувеличением.

Как произвести впечатление на окружающих своими познаниями о

ИНТЕРНЕТЕ

Полагаю, у многих из вас есть компьютеры, хотя, может быть, не у всех. Предлагаю вам краткий и незатейливый обзор того, что же это за машинка. Всего пять минут — и вы начнете понимать, о чем говорят люди, поддержать разговор в кругу друзей, сможете произвести впечатление на посторонних и даже сэкономить себе массу времени и денег, которые потратили бы на бесплодное рысканье в сети.

Общий обзор

Представьте себе Интернет как огромную радиосеть, а не как часть программного обеспечения вашего компьютера. Для большинства пользователей Интернета — это всего лишь средство, чтобы получить информацию или вести разговоры на любую тему. Более важное значение Интернет имеет как средство связи, основанное на родстве интересов. И для этого вам потребуется всего лишь небольшой компьютерный модем.

Как же он работает? Вы подписываетесь на услуги какой-либо компании-провайдера, которая предлагает доступ к Интернету. Можете выбрать крупного, известного провайдера или любую из множества мелких фирм. После этого вы получаете адрес, который обычно представляет собой имя с компьютерной приставкой на конце и выглядит примерно так: имярек @aol.com.

Если другой человек знает ваш адрес, он может отправлять вам письма, просто набирая текст на компьютере, а затем нажимая кнопку отправки. Это называется электронной почтой. Таким образом вы получите послание, которое затем прочтете на экране монитора или распечатаете. Иногда послания содержат звуковые или графические приложения.

Одно из наиболее популярных занятий в Интернете — отправка сообщений на общий адрес, где их может прочесть любой, кому это интересно. После того как вы отправили письмо, тот, кто его прочел (абсолютно любой человек на Земле), может ответить на общий ящик или написать вам лично. Существуют группы, формально объединяющие клиентов; тогда вы отправляете письмо на центральный офис, его принимают и размещают в общем ящике. Каждая из таких дискуссионных групп, как правило, собирается по интересам:

поиск работы, сборище потенциальных вампиров, раскрытие злодейских замыслов мирового банка и т. д.

В Интернете вы можете заниматься чем угодно: обновлять программное обеспечение, пользоваться справочной литературой, играть в игры и т. д. Но людям больше всего нравится общаться друг с другом через Интернет. Одной из наиболее популярных областей Интернета является так называемая «мировая паутина» — WWW, сеть электронных страниц, которые связаны одна с другой посредством ключевых слов. Эти Web-страницы содержат разную информацию — от сугубо академических исследований до самых параноидальных идей. Сегодня многие Интернет-провайдеры предлагают бесплатное создание Web-страниц для своих подписчиков, а это означает, что постоянно возникают все новые и новые тысячи таких страниц, на которых написано все, что хотелось бы сообщить миру их авторам — мнение о любимых книгах, фотографии домашних животных, краткое резюме тех, кто ищет работу, и т. д.

Что вы можете сказать

Любопытно, как долго способен говорить ваш собеседник, если вы будете только согласно кивать? Спросите его, услугами какого провайдера он пользуется, и он тут же начнет перечислять вам типы программного обеспечения. И проговорит еще не менее десяти минут. Можете пока обдумать свои проблемы, не боясь пропустить что-нибудь интересное. Если же вас спрашивают, услугами какого провайдера пользуетесь вы, скажите что-нибудь вроде: «Они постоянно меняют свои системы, и я никак не могу запомнить, что у них работает в данный момент».

Если разговор заходит о технических тонкостях, в которых вы не сильны, всегда можете пожаловаться на то, что ваша машина часто зависает (перестает работать) во время сеансов Интернета. Или обвинить во всем несчастный Windows. Уверен, что ваш собеседник поймет ваши проблемы и посочувствует вам.

Вот некоторые термины, которые пригодятся вам в подобной беседе.

— Дискуссионная группа — это общий почтовый ящик, где вы можете найти письма на интересующую вас тему.

— Присоединиться к списку рассылки означает, что все послания, получаемые дискуссионной группой, будут автоматически отправляться вам.

— Связь — это выделенный цветом фрагмент текста, который связывает одну страницу с другой.

— Модем — это устройство, которое

позволяет одному компьютеру связываться с другим посредством телефонной линии. В наше время большинство компьютеров снабжено встроенным модемом.

— Не стесняйтесь в выражениях, отправляя сообщение человеку или дискуссионной группе, чтобы выразить им свое неуважение. (Оскорбительные письма — это новое использование Интернета. Не видя человека, легко дать выволочку кому угодно!)

— Интернет нашпигован фривольными, бессмысленными и рекламными текстами. К сожалению, современные средства это позволяют.

— Чат — это виртуальное место встречи в Интернете. Люди общаются в режиме реального времени. Другими словами, как только вы отправили сообщение человеку или группе людей, вы можете тут же получить ответ. Некоторые страницы, а также многие провайдеры предлагают подобные услуги. За редким исключением подобные беседы носят непристойный или бессмысленный характер, а часто и то и другое.

Когда вы хотите сменить тему...

...Меняйте тему, как угодно, поскольку Интернет включает в себя все. Если вы решили заговорить о своем саде, то спросите у собеседника, не знает ли он хорошей странички, посвященной садоводству. Запишите адрес (код, который позволит вам попасть на эту страницу), даже если не собираетесь им воспользоваться. А теперь вы совершенно вольны начать говорить о своем саде — восхищаться им или жаловаться на проблемы.

Мудрый совет

Некоторые люди просто не могут остановиться, начав говорить об Интернете. К счастью, такой человек даже и не заметит, если вы потеряете нить беседы или вовсе отлучитесь.

Как произвести впечатление на окружающих своими познаниями о

ДЖАЗЕ

Знаменитое определение Луи Армстронга: «Если вы будете спрашивать, то никогда не поймете» может подвести черту под обсуждением этой темы. Но если вы все же читаете эту главу нашей книги, то, вероятно, вам все же хочется спросить, поэтому давайте забудем о словах великого Сачмо. Конечно, вы можете самостоятельно вести разговор о джазе в мельчайших подробностях. Глубоко вдохните, поправьте свой галстук и приготовьтесь продемонстрировать свои познания.

Основные сведения

Какова же основная идея разговора о джазе, и есть ли она вообще? К счастью, есть. Принцип джаза — африканские ритмы из песен чернокожих невольников в сочетании с европейскими гармониями. И в результате возникает... Нет, не рок-н-ролл (он появится позже), но джаз. Давайте сделаем краткий обзор основных течений и направлений этого музыкального стиля. Лучше всего было бы прослушать записи одного или нескольких артистов, о ком мы будем говорить (Наш совет — начните с наиболее известных вещей Луи Армстронга.)

Рэгтайм постепенно превратился в Нью-Орлеанский джаз, или диксиленд. Основными представителями этого стиля стали такие гиганты, как Кинг Оливер, Джелли Ролл Мортон, Джонни Доддс и Луи Армстронг. В 1917 году большинство музыкантов покинуло Новый Орлеан. Джаз распространился по всей Америке и несколько видоизменился. Вот основные идеи, которые помогут вам легче ориентироваться, если разговор зайдет о направлениях джазовой музыки.

Свинг. Хотя этот стиль получил развитие гораздо позже, все же в нем ощущается неоспоримое влияние Армстронга. 30-е годы — эпоха расцвета джаза. Он становится необычайно популярен. И Луи решил извлечь из этого пользу. Послушайте любую запись Армстронга или оркестра Бенни Гудмена того времени, и вы сразу же поймете, в чем суть нового звучания. Следует обязательно упомянуть о таких корифеях жанра, как Флетч Хендерсон, Каунт Бэйси и Дюк Эллингтон.

Бибоп. Сразу возникает имя — Берд, несравнимый альт-саксофонист Чарли Паркер. Вместе с Джоном «Диззи» Гиллеспи и Бадом Пауэллом Паркер в конце 40-х годов сумел создать новое звучание, которое вдохновило Жака Керуака пойти «этой дорогой», а затем привело к возникновению целого поколения битников. Чтобы лучше понять этот стиль, советуем прослушать записи «Величайших джазовых концертов», обращая особое внимание на тех, о ком мы только что говорили.

Кул боп. Майлс Дэвис в 50-е годы стал основоположником этого направления, записав альбом «Birth of Cool». Его коллега Дэйв Брубек и Джерри Маллиган позже развили его основные идеи, и очень скоро джазовые музыканты всего мира стали добавлять в свои импровизации трубу, несколько смягчая ее звучание. Аранжировки отошли на задний план, но по-прежнему оставались многомерными.

Модал джаз. «Звуковые полотна» — вот как можно охарактеризовать это новое направление в джазе, возникшее в конце 50-х годов. Джулиан «Кэннонболл» Одderли, Майлс Дэвис и Джон Колтрейн начали экспериментировать с «расцвечиванием тембра» и сочетанием разных уровней. Звучит сложновато, так что лучше советую вам послушать их музыку. Всех троих исполнителей можете услышать в «Kinda Blue».

Свободный джаз. В шестидесятые годы мелодиями Индии увлекались не только «Битлз». Эрик Допли и Орнетт Колман тоже восстали против тирании стандартных аккордов. Послушайте двойной квартет Колмана (который лично я отнес бы к октетам, если внимательно пересчитать исполнителей).

Афро-кубинский стиль. Чано Позо познакомил Диззи Гиллеспи с музыкой и ритмами Кубы. Вместе с Майком Лонго, Стэном Кентоном и Тито Пуэнте Гиллеспи соединил латинские влияния с африканскими ритмами. Чтобы лучше понять этот стиль музыки, советую вам послушать «Swing Low Sweet Cadillac»

Фьюжн джаз. Майлс Дэвис записал «Bitches' Brew». Вместе с такими музыкантами, как Фредди Хаббард и Херби Хэнкок, Дэвис использовал джаз для наиболее смелых экспериментов, сочетая в своих произведениях компьютерно-синтезированные звуки с традиционными инструментами.

Что вы можете сказать

Вот несколько фраз, которые вы можете более-менее дословно произнести в соответствующей ситуации.

«Отличное соло на корнете!» (И помните, что корнет — небольшая труба — это совсем не офицерский чин. Всегда будьте осторожны с одинаково звучащими словами, иначе можете произвести впечатление невежды.)

«Какая жалость, что мы никогда не сможем услышать Луи Армстронга в расцвете сил!» (Если ваши собеседники удивленно воззрятся на вас, просто объясните им, что Сачмо до тридцати лет не записывался, а его музыка, по словам очевидцев, особенно блестящей была в молодости.)

Если вам придется защищать музыканта, который вам нравится, можете процитировать слова Дюка Эллингтона: «Разве Эллингтон не сказал, что если музыка *звучит* хорошо, то и сама она хороша?» При этом посмотрите на собеседников наивно изумленным взглядом.

«М-м-м-м»... Находясь в клубе, просто слушайте музыку, полуприкрыв глаза, кивая в ритм и издавая невнятные одобрительные звуки. В неожиданный момент можете издать сдавленный смешок. Аплодируйте после каждого соло, но некоторым исполнителям хлопайте с бóльшим энтузиазмом, чем остальным. (Если сомневаетесь, понаблюдайте за другими слушателями.)

Когда вы хотите сменить тему...

...просто перестаньте говорить, закройте глаза и начните двигать головой в такт музыке. Возможно, позже разговор пойдет в более приемлемом для вас направлении.

Мудрый совет

Помните, пытаясь говорить о джазе с музыкантами-профессионалами, вы всегда будете выглядеть любителем. Если вы не музыкант, лучше держите рот на замке и больше кивайте. Или предложите собеседнику чего-нибудь выпить.

И не забывайте, что поклонники джаза очень нервничают, когда их кумир обретает большую популярность, — их привлекает исключительность. Вы можете сказать что-то вроде: «Я всегда говорил, что когда джаз выходит на широкую арену, он умирает». Если кто-нибудь станет спорить с вами, просто улыбнитесь улыбкой знатока и начните говорить о чем-нибудь другом, словно вам неинтересно выслушивать такие глупости.

Как произвести впечатление на окружающих своими познаниями о

НЬЮТОНОВОЙ ФИЗИКЕ

В списке ста наиболее знаменитых и влиятельных людей всех времен и народов сэру Исааку Ньютону отводится почетное второе место — непосредственно между Магометом и Иисусом Христом. Ньютон вошел в историю как создатель законов, которые более или менее объясняли строение и процессы, происходящие во Вселенной — по крайней мере, эти законы работали до появления теории относительности Эйнштейна.

Ньютон также разработал и ввел в математику дифференциальное и интегральное исчисления (эту честь он разделил с Готтфридом фон Лейбницем), которые теперь наводят ужас на миллионы школьников и студентов. Вот краткий обзор того, что сделал этот выдающийся ученый.

Общий обзор

Три закона Ньютона определяют принципы движения материальных объектов. Они звучат несколько прямолинейно, но для науки семнадцатого века это было настоящим открытием, которое можно вписать в список величайших научных достижений человечества.

Первый закон. Каждое тело пребывает в состоянии покоя или равномерного прямолинейного движения до тех пор, пока действующие на него внешние силы не заставят его изменить это состояние.

Второй закон. Сила, приложенная к объекту, приводит к изменению его инерции прямо пропорционально приложенной силе и в направлении действия силы. Или, если изложить этот закон в более привычной форме, сила, приложенная к объекту, равна произведению его массы на ускорение ($F = ma$).

Третий закон. Действию всегда соответствует равное и противоположно направленное противодействие.

В сочетании с ранее разработанной Ньютоном теорией гравитации эти законы веками определяли представления человечества о природе физического мира и солнечной системы в частности. Посредством интегрального и дифференциального исчисления Ньютон доказал, что предмет падает на землю, подчиняясь тем же законам, по которым движутся небесные тела. (Однако, объясняя эти принципы научному сообществу, он воспользовался простыми геометрическими понятиями, а не интегралами, которые так помогли ему в собственных исследованиях.) Новые законы, открытые Ньютоном, работали непрестанно и предсказуемо, как никакие другие.

В наши дни принципы, прославившие Ньютона — даже столь хитро звучащий второй закон, — кажутся чем-то само собой разумеющимся. Не признавать гениальным Ньютона на том основании, что его законы известны всем, все равно что жаловаться на то, что «Гамлет» напичкан избитыми фразами. Работы Ньютона, особенно три закона механики, настолько продвинули знания человечества вперед, насколько это в дальнейшем не удавалось ни одному ученому. Они заложили основы современной физики и находят постоянное применение в повседневной механике вот уже три века, прошедших со дня смерти их создателя, несмотря на то, что теория движения небесных тел, разработанная Ньютоном, уступила место более сложной модели, основанной на работах Эйнштейна, которые были написаны в начале XX века.

Помимо трех законов механики, Ньютон также открыл и сформулировал закон притяжения и внес неоценимый вклад в математику, оптику и астрономию. Его разносторонность и энциклопедические знания воистину необъятны. (Кроме всего прочего, Ньютон доказал и продемонстрировал, что белый цвет состоит из нескольких различных цветов.) Ньютона совершенно справедливо считают величайшим ученым в истории человечества.

Что вы можете сказать

Между 1664 и 1666 годами, период написания большинства кардинальных трудов Ньютона, он вынужденно работал в собственном доме в Вулсторпе, потому что Кембридж был закрыт. И именно в это время Ньютон приступил к вопросам вселенского притяжения и занятиям оптикой, а также сформулировал то, что впоследствии получило названиe интегрального и дифференциального исчисления.

«Было бы справедливо сказать, что ни один другой ученый, включая Эйнштейна, не создавал научной работы, имевшей такое значение, как «Начала». (Полное название эпохального труда Ньютона, опубликованного в 1687 году и посвященного вопросам земной и небесной механики, — «Математические начала натуральной философии». Как бы вы его ни назвали, трактат Ньютона стал вехой в современной науке и одним из величайших достижений человеческого разума.)

«Ньютонова физика до сих пор находит свое практическое применение, хотя и не является окончательным ответом на вопрос фундаментального устройства Вселенной». (Создание квантовой теории и теории относительности (см. специальные статьи, посвященные этим темам) привели к появлению совершенно нового взгляда на вопросы материи, энергии и их взаимосвязи в физическом мире.)

Когда вы хотите сменить тему...

• ...Укажите на то, что рыцарство Ньютон получил не только за свои научные заслуги, но и как глава английского Монетного двора. Можете завершить свое замечание фразой: «И это лишний раз доказывает силу денег». А затем можете связать этот принцип с любой ситуацией, которая придет вам на ум.

Мудрый совет

Не стоит проявлять излишний скептицизм в отношении Ньютоновой механики. Ее значение невозможно переоценить.

Как произвести впечатление на окружающих своими познаниями о

ЖИВОПИСИ

Что такое живопись? Это вид визуального искусства — «картина или эскиз, выполненная красками», как утверждает словарь, — призванный вызвать эмоциональный или интеллектуальный отклик у зрителя. Для выражения основной идеи есть множество самых различных способов, порой весьма интересных и сложных. Того, кто захочет произвести впечатление на собеседников поверхностными знаниями, ждет подлинное испытание. Здесь очень легко скатиться к соревнованию в жонглировании искусствоведческими терминами.

Однако будьте уверены, что впечатление, какое на вас производят работы Леонардо, Сезанна, Вермеера или Поллока, гораздо важнее знания того, что о них говорят критики и искусствоведы. Далее я приведу характеристики основных направлений в живописи. Внимательно прочитайте эту статью, а затем посмотрите картины и в разговоре пользуйтесь собственными впечатлениями — так вы сможете показать свою компетентность.

6 Зак. № 2842 Гамильтон

Общий обзор

Я дам характеристику основных направлений в живописи девятнадцатого и двадцатого веков, о которых наиболее часто заходит речь. Будьте осторожны — далеко не все великие художники и не все направления нашли свое отражение в моей статье. И пожалуйста, всегда помните о том, что после прочтения этой статьи вы должны посмотреть картины самостоятельно.

Абстрактный экспрессионизм. Направление в американской живописи, возникшее в середине 50-х годов XX века. Художники этого направления придавали особое значение цвету, свойствам красок и способу наложения краски на холст. Многие картины абстрактных экспрессионистов так велики, что занимают целые стены. Основные представители этого течения: Аршил Горки, Виллем де Кунинг, Джексон Поллок.

Кубизм. Это направление в живописи, возникшее в Париже примерно в 1907 году. Художники-кубисты разбивали предметы на основные элементы — кубы, сферы, цилиндры, конусы. Кубисты также ввели в живопись понятие времени, изображая предмет как бы в развитии через последовательный ряд движений. Основные представители кубизма: Пабло Пикассо, Жорж Брак, Хуан Грис и Фернан Леже.

De Stijl («Де Стейл», — «стиль»). Это направление возникло в Нидерландах в 1917 году. Оно характеризуется чистотой линий и использованием только основных цветов. Целью этой живописи было достижение духовной чистоты. Основные представители направления: Тео ван Дуйсбург, Пит Мондриан, Геррит Томас Ритвельд и Дж. Дж. П. Ауд.

Фовизм. Это направление в живописи возникло во Франции в начале двадцатого века. Художники-фовисты использовали яркие цвета, смелые формы и широкие мазки, чтобы выразить всю красоту, изменчивость и энергию природы. Основные представители этого направления: Жорж Брак, Рауль Дюфи, Жорж Руо и Морис Вламинк.

Экспрессионизм. Этот термин применяется к самым разным художникам разных эпох, включая и тех, кто работал совершенно в других направлениях, причем самостоятельно. Экспрессионисты старались передать эмоциональную напряженность, используя яркие краски и простые формы. Основная идея экспрессионизма в том, чтобы передать чувства человека на холсте. Основные представители этого направления: Винсент Ван-Гог, Джеймс Энсор и Эдвард Мунк.

Футуризм. Это направление возникло около 1909 года и достигло своего расцвета перед Первой мировой войной. Футуристы старались внести в свои картины движение и ритм, чтобы возвеличить мощь и своеобразную красоту века машин. Они разрушали реалистические формы, разбивали изображение на множество образов, накладывали один цвет на другой; в их картинах — напористость и ритм современной жизни. Основные представители этого направления: Умберто Боччони и Антонио Сант-Элиа.

Импрессионизм. Это одно из наиболее мощных направлений в живописи конца девятнадцатого — начала двадцатого веков. Импрессионисты использовали яркие краски и короткий мазок, чтобы передать мгновенное впечатление света и формы. Они придавали особое значение пейзажу и вневременным проявлениям человеческой жизни благодаря способности художника ухватить и запечатлеть мгновение, их картины порой напоминают моментальное фото. Основные представители этого направления: Камиль Писарро, Эдуард Мане, Клод Моне, Пьер-Огюст Ренуар и Мэри Стивенсон Кассат. (К постимпрессионистам относятся художники, испытавшие на себе сильное влияние импрессионизма, такие как Поль Сезанн, Поль Гоген и Винсент Ван-Гог.)

Реализм. Стиль живописи, при котором художник достоверно отражает предмет или сцену из жизни, как визуально, так и эмоционально. Это направление возникло после французской революции 1848 года. В Европе оно получило теоретическое и практическое развитие. Основные представители: Гюстав Курбе, Жан-Франсуа Милле и Оноре Домье.

Сюрреализм. Это направление в живописи приобрело популярность в 20-е годы двадцатого века и не потеряло ее до наших дней. Картины сюрреалистов часто отличаются необычайной технической точностью, которая помогает зрителю проникнуть в глубины подсознания через символику снов и призрачных образов. Сюрреалисты утверждали, что создают свои картины не разумом, но повинуясь безотчетным импульсам и слепым чувствам. Основные представители: Жан Миро, Сальвадор Дали, Рене Макетт, Макс Эрнст и Джорджо де Чирико.

А теперь я хочу сказать несколько слов об основном споре среди художников — споре между классиками и романтиками. Когда люди говорят, что им нравится классическая живопись, они имеют в виду уравновешенность, строгую определенность, которая создает величественную и гармоничную связь между всеми частями картины. И полной противоположностью классическому совершенству становится мятежный и непостижимый, бунтарский беспокойный дух художника-романтика с его тонким видением и сильными чувствами.

Что вы можете сказать

Глядя на абстрактную картину, которая вам понравилась, вы можете сказать: «Сильнее всего меня поражает способность художника увидеть внутреннюю глубину и логику и показать ее на полотне».

Глядя на небольшую картину, можно сказать: «Невероятно, целый мир, вселенская гармония на таком крохотном кусочке холста!»

Очень большая картина может вызвать чувства иного характера: «Хотелось бы мне увидеть ту гостиную, для которой писалось это полотно!»

Если картина написана на религиозный сюжет, скажите что-нибудь об эпохе Возрождения и о всеобъемлющей гуманности религии в противоположность мрачности и жестокости средних веков. Кроме того, можно вспомнить идеализированные образы античных богов.

Если картина мрачная, можно задумчиво произнести: «О, одиночество...»

Если перед вами натюрморт с изображением фруктов, можно заметить: «А это очень эротично, вы не находите?» Продемонстрировав столь нестандартный подход, в дальнейшем вам остается лишь загадочно улыбаться.

Если картина перед вами довольно спорная, вызывающая противоречивые чувства, можете сказать: «Меня всегда восхищали художники, которые способны затронуть даже самого безразличного зрителя».

Когда вы хотите сменить тему...

Для этого существует лишь один способ, зато он очень надежен: скажите, что живопись всегда пробуждает в вас зверский голод, и спросите, не знает ли ваш собеседник хорошего ресторана или кафе поблизости или в самом музее, и пригласите его пообедать. Другая полезная стратегия — вспомнить о великих событиях, происходивших в эпоху жизни художника, и перевести разговор на историческую тему (правда, вы должны хорошо в этом разбираться — иначе можете попасть в неудобное положение).

Обратите внимание на временные периоды, к которым относятся обсужденные нами направления в живописи.

Мудрый совет

Вы должны производить хорошее впечатление на тех, с кем собираетесь посетить музей. Оденьтесь подобающим образом — ведь вы идете в храм искусства! Входя в музей, глубоко вдохните, словно хотите насладиться возвышенной атмосферой. Разговаривайте приглушенным тоном, можно даже шепотом. Переходя в следующий зал, сначала подходите к самой маленькой картине или скульптуре, более крупные произведения оставляйте на потом. Вне зависимости от размера произведения искусства подойдите поближе, чтобы рассмотреть его во всех деталях. Затем отойдите шага на три и улыбнитесь. Если картина очень большая, посмотрите на нее издали — и снова улыбнитесь.

Обязательно читайте подписи под картинами и вообще любые сведения, размещенные на стенах музея, — но лучше это делать незаметно. Вы будете удивлены глубиной и полезностью информации и сможете воспользоваться ею в разговоре. Выходя из музея, снова глубоко вдохните и почувствуйте, что ваша душа изменилась.

Как произвести впечатление на окружающих своими познаниями о

ХИРОМАНТИИ

Хотите быть душой любой компании? Тогда не пожалейте времени и ознакомьтесь с основами хиромантии.

Вы должны знать две основные вещи, приступая к сеансу гадания по руке. Во-первых, выбирайте человека противоположного пола, который явно проявляет к этому интерес, и, во-вторых, вне зависимости от того, являетесь вы опытным хиромантом или нет, всегда говорите людям то, что вам о них точно известно, и с удовольствием наблюдайте за их изумлением. Нет, я не призываю вас открыть балаган на местной ярмарке — разве что вы завзятый сплетник и знаете весь город.

Теперь я дам вам кое-какие основные сведения, пользуясь которыми вы сможете произвести впечатление на собеседников. В разделе «Общий обзор» я расскажу о главных принципах, используемых хиромантами для предсказания судьбы. Многие из нас верят, что умение читать по руке — это дар, полученный от бога. В разделе «Что вы можете сказать» я покажу вам, как слегка подправить истину, чтобы ваш собеседник остался полностью удовлетворенным. Только пообещайте мне, что будете использовать полученные сведения исключительно в добрых целях.

Общий обзор

Когда хиромант приступает к предсказанию судьбы, он обращает внимание не только на линии на ладони. Многое о человеке могут сказать форма ладони и пальцев, то, как человек кладет руку перед хиромантом, состояние кожи рук, даже расположение царапинок, мозолей, а также состояние ногтей.

Форма руки — это основа предсказания. Каждый новичок сразу же бросается искать линии — и в первую очередь линии сердца и жизни. Но их расположение в большой степени зависит от формы руки. Кроме того, очень важно положение ладони. Каким жестом человек протягивает вам руку для предсказания? Другими словами, вы должны обратить внимание на все детали, прежде чем что-то говорить. Если человек протягивает вам ладонь, разжав кулак, то я бы на вашем месте быстро сказал, что все очень неясно и зыбко, и свел предсказание к общим фразам.

Для начала попросите человека дать вам обе руки. Осторожно, мягко коснитесь ладоней, поверните их, чтобы рассмотреть руки со всех сторон. Обратите внимание на температуру и структуру кожи. Посмотрите на ладони, затем на самого человека. Постарайтесь уловить, не испытывает ли он напряженности или беспокойства. Состояние человека очень важно — от этого зависит, как он отнесется к вашим словам.

Объясните, что предсказание будет схематичным и упрощенным, что не стоит полностью полагаться на ваши слова относительно будущего, но все, что вы скажете, может оказаться человеку полезным. А затем переходите непосредственно к гаданию. (Ваши слова произведут впечатление на человека, если вы начнете с какого-нибудь известного вам факта из его жизни. Так вы усилите его доверие к себе.)

Маленькие руки. Если у человека маленькие руки, то перед вами веселый и радостный субъект, всегда готовый посмеяться. Такого человека хорошо иметь в друзьях, когда дела идут не слишком удачно. Он понимает других и всегда готов их выслушать. Он знает, как заставить собеседника расслабиться, даже если они не слишком хорошо знакомы. Такой человек может быстро заскучать и переключиться на поиски новых приключений.

Большие руки. Этот человек хочет все

узнать досконально. Если предлагаемое ему дело или проект далеки от совершенства, он никогда не возьмется за них. Главное его достоинство — способность к концентрации. Такой человек хорошо себя чувствует лишь в знакомой атмосфере. Люди с большими руками часто считают хиромантов шарлатанами и ищут способа уличить их в этом.

Квадратные ладони. Такую форму определить несложно: посмотрите на нижние углы ладоней. Квадратные ладони говорят о том, что их владелец сконцентрирован на достижении результата, причем немедленно. Главное достоинство такого человека в том, что он умеет беречь и деньги, и время.

Овальные ладони. Люди с такими ладонями обладают особым шармом. Они дружелюбны и ласковы, оптимистичны и любят жизнь и всегда и везде становятся душой компании. Это своего рода социальные мотыльки — они всегда оказываются в нужном месте в нужное время.

Плоские ладони. Широкие и плоские ладони говорят о том, что человек любит приключения, риск. Это одинокий волк. Он часто проводит время, изучая возможность покорения следующей вершины. Такой человек может расслабиться, но ненадолго. Мгновение — и он уже ушел искать новые впечатления и новые места.

Этот человек тонко чувствует окружающих и всегда внимателен к чувствам других людей.

Толстые руки. Хироманты считают таких людей работниками, людьми, знающими, что нужно делать и как. Человек с такими руками способен справиться с любым заданием, и работа ему в охотку. Иногда он ощущает перегрузку, но всегда находит способ справиться с ней и доводит дело до конца. Это неоценимый сотрудник и коллега.

Тонкие руки. Перед вам чувствительный мечтатель. Воображение — вот его ключ к успеху. Благодаря тому, что он чувствует гораздо тоньше и сильнее других людей, ему удается решать сложные проблемы быстрее и эффективнее. Такому человеку нужны спокойствие и уравновешенность — только тогда он может расправить крылья. Это исключительный друг, который способен понять самые потаенные ваши чувства.

Короткие ладони. Это квадратные ладони. Люди с такими ладонями не только ориентированы на результат, но и эмоционально уравновешенные. Они готовы справиться с любыми трудностями и проблемами и даже радуются им. Это прирожденные лидеры. Способность быстро принимать решения делает их незаменимыми в критических ситуациях. Такие люди не боятся завтрашнего дня и смело смотрят в будущее.

Длинные ладони. У таких людей сильно вытянутые ладони. Эти люди обычно погружены в прошлое и не любят перемен. Они гораздо счастливее в окружении знакомых предметов, с которыми связаны какие-то воспоминания. «Давным-давно» — вот их любимое выражение. Они никогда не забывают о днях рождения и годовщинах. Люди с такими ладонями всегда бывают хорошими друзьями, причем часто — на всю жизнь.

Длинные пальцы. Перед вами прирожденный аналитик, обладающий поразительной памятью. О том, что его интересует, он знает практически все. Он терпелив, верен и высоко ценит дружеские отношения.

Короткие пальцы. За таким человеком нужно присматривать! Он быстро принимает решения и заводит друзей. Способен мгновенно вникать в суть дела. Его инстинкты подсказывают ему правильный выход из положения и помогают разбираться в людях. Однако если он ошибается, то часто платит слишком высокую цену за свои промахи.

Длинные большие пальцы. Это прирожденный лидер, который способен идти до конца.

Короткие большие пальцы. Такие люди привержены своим убеждениям. Это хороший дипломат, человек, который предпочитает покой активным действиям.

Розовые ладони. Перед вами человек огромной энергии. (Бледные ладони — знак того, что их хозяин в чем-то нуждается и явно не обладает достаточной жизненной энергией.)

Структура кожи ладоней. Тонкая кожа выдает мыслителя и чувствительного человека, который любит гармонию и роскошь. Шершавая кожа говорит о том, что человек легко справляется со стрессами, предпочитает действовать самостоятельно, не любит полагаться на других. Если вы не можете точно охарактеризовать структуру кожи, значит, перед вами гибкий человек, способный справиться с проблемой, причем не за счет других.

Жесткая ладонь. Перед вами прирожденный лидер, человек упрямый и несгибаемый.

Мягкая ладонь. Мягкие ладони говорят о том, что это человек добрый и чуткий и склонен к размышлениям, но с легкостью и слишком часто полагается на других людей.

Большие ногти. Перед вами энергичный человек, для которого лучший отдых — это активные занятия; он обожает точную и скрупулезную работу.

Маленькие ногти. Человек с такими ногтями любит общаться, любит помогать другим. Однако время от времени ему требуется энергетическая подпитка, чтобы сконцентрироваться на собственных проблемах и разобраться в своей жизни.

Круглые ногти. Этот человек обладает тонкой интуицией и готов помочь другим. Он разумен и справедлив. Общение с друзьями для него радость.

Квадратные ногти. Перед вами перфекционист, человек, во всем стремящийся к совершенству, считающий, что он всегда прав. Он слишком многого ждет от окружающих, но и от себя тоже. Такие люди любят работать — им нравится ощущать себя полезными.

Широкие и плоские ногти. Люди с такими ногтями любят приключения, любят преодолевать преграды и препятствия, они неутомимы и любопытны. Они стремятся все испытать и попробовать хотя бы раз. Не стоит и стараться остановить таких людей.

Холмы, линии и прочее. (Обратите внимание на то, что вы смотрите на ладонь, которая по крайней мере весь сегодняшний день была «в работе»!) У основания каждого пальца на ладони есть выпуклость. Кроме этого, обратите внимание на внешнюю сторону ладони. Каждая выпуклость имеет свое название и определенное значение. Любые складки, морщинки или линии, образовавшиеся в том или ином месте, так же имеют точное значение и смысл. Каждый палец имеет собственное название и определенным образом влияет на вашу жизнь. Указательный палец — Юпитер, лидер. Средний палец — Сатурн, мыслитель. Безымянный палец — Аполлон, творец. Мизинец — Меркурий, гений. Большой палец не имеет названия и толкуется только по своему отпечатку. Выпуклость под каждым пальцем называется холмом соответствующею пальцу имени (например, «холм Юпитера»). Холм под большим пальцем называется холмом Венеры, любовником. Холм, находящийся напротив на краю ладони, — это холм Луны, мечтатель. Прямо под ним и над холмом Меркурия — это небольшой холмик Верхнего Марса, воин. Между холмами Венеры и Юпитера расположен холм Нижнего Марса, воитель.

Линия сердца. Эта линия говорит об эмоциональном состоянии. Она располагается горизонтально поперек ладони и тянется от мизинца к указательному пальцу.

Линия ума говорит о работе мозга. Это горизонтальная линия, располагающаяся под линией сердца. Обычно она начинается от указательного пальца и идет к безымянному.

Линия жизни. Часто считают, что ее длина говорит о продолжительности жизни человека. На самом деле она предупреждает о тех событиях, которые могут с вами произойти. Ее можно найти под холмом Венеры, в районе большого пальца.

Толкование линий — это нечто большее, чем простое перечисление значений, приписываемых той или иной складке или морщинке. На ладони есть множество мелких линий и выпуклостей, имеющих большое значение. Вертикальные линии имеют позитивное, положительное значение. Горизонтальные — говорят о препятствиях на жизненном пути, мешающих реализовать ваши способности и таланты. Наклонные линии — признак влияния других людей. Отдельная четкая линия свидетельствует о возникших проблемах. Перекрещивающиеся линии, решетка говорят о замешательстве и нерешительности. Крест — плохой признак, указывает на невозможность реализовать себя в чем-нибудь. Квадрат говорит о том, что вам нужно обратить особое внимание на эту область, существует опасность, о которой вы можете и не подозревать. Треугольники — признак таланта. Круги встречаются редко, они говорят о неожиданностях. Звездочки также довольно редки — это знак успеха и признания.

Что еще можно добавить? Если у человека есть вертикальные линии на холме Венеры, можно сказать, что он удачлив в любви, но квадрат в том же месте указывает на то, что человек рискует потерять любовь, если не будет достаточно осторожен. Звездочка на холме Юпитера означает большой успех в работе или в иной области.

Ваш собеседник обязательно станет задавать вопросы. Чаще всего они бывают связаны с любовью и успехом. Если вы внимательно прочли мою статью, то сможете достаточно квалифицированно ответить на них, основываясь на информации, которую вам дадут отдельные участки ладони. В любом случае, чем больше вы будете тренироваться, тем лучше у вас все станет получаться.

Вас удивит то, насколько ладонь одного человека отличается от ладони другого. Но рука одного и того же человека может кардинально измениться за короткий срок. Угроза, которая только что была чисто гипотетической, станет реальной, завяжутся новые отношения или расстроятся семейные дела — все это найдет отражение на ладони.

Что вы можете сказать

А теперь немного развлечемся. Что можно сказать, глядя на ладонь человека?

Я исхожу из предположения, что вы не собираетесь точно истолковывать все увиденное на том или ином участке ладони. Используя термины, о которых я только что рассказывал, а также то, что вы знаете о человеке, можно сделать вполне профессиональное предсказание, обходясь общими фразами и заключениями.

Обратите внимание на состояние ладони. Если вы чувствуете, что человек напряжен, похлопайте по его ладони. Внимательно посмотрите на нее и скажите: «Вам нужно больше отдыхать. Вы мало заботитесь о себе». (Ни один человек не считает, что уделяет себе достаточно внимания. Всем нужен отдых. А если человек напряжен, то ему уж — вдвойне. Если он скажет, что только что вернулся из отпуска, можете заметить: «Значит, вам нужно отдохнуть от отпуска...» Эта фраза, как ни странно, часто бывает справедлива: представьте, что отпуск вы провели в Диснейленде с тремя детьми!)

Если рука расслаблена и раскрыта, значит, и человек перед вами открытый и спокойный. Скажите: «Вы уверены в себе и любите приключения». Если человек смело протягивает вам руку, можете сказать: «Вы прирожденный лидер». (Когда человек не испытывает страха и беспокойства, его уверенность в себе очевидна. Человеку, который проявляет инициативу, доверяя вам свою руку, можете смело сказать о его надежности и лидерских качествах.)

Поищите порезы или следы от чернил. Нашли? Возможно, одежда, манера говорить, поведение человека помогли вам сделать заключение о том, что он работает в офисе? Тогда вам повезло. Скажите: «Я вижу вас перед столом, вижу бесконечный поток дел, которыми вам приходится заниматься в течение дня». Когда ваш собеседник утвердительно кивнет, добавьте: «Вам нравится заниматься сразу многим. Когда вы заняты, вы по-настоящему счастливы». (Старайтесь говорить только о том, что для вас очевидно.)

Предположим, вы знаете, что у человека есть свой бизнес или есть основания сделать такое предположение. Тогда можно сказать: «Вы слишком волнуетесь. Вы должны вспомнить, почему решили заняться своим делом. Я вижу, что вы очень заботливый человек, что вы хотите обеспечить спокойную и счастливую жизнь тем, кто вам дорог». (Здесь есть небольшой риск, говорите общими фразами. Любой человек, достаточно смелый для того, чтобы начать собственное дело, время от времени тревожится. Если перед вами любитель поработать, а на пальце у него обручальное кольцо, можно сделать логический вывод о том, что он заботится о будущем своей семьи.)

Независимо от того, кто перед вами сидит, можете сказать: «Я вижу в вашем будущем мужчину», если это женщина, или «Я вижу в вашем будущем женщину», если это мужчина. (Вариант беспроигрышный: в жизни любого человека есть представитель противоположного пола. А уж какую роль он играет — это должен додумать сам собеседник.)

Скажите: «Вам пришла пора избавиться от разочарований, которые живут в вас с детства». После этой фразы готовьтесь к излияниям собеседника — вы вступили на скользкую дорожку психоанализа. У кого нет детских болей и обид?

Решились исследовать руку начальника? Сделайте это в шутливом тоне: «Вы властный человек, которого и уважают, и боятся. Но в то же время вы удивительно привлекательны для окружающих. Людям нравится находиться рядом с вами». (Отлично, отлично, вы получили прекрасную возможность польстить шефу. Воспользуйтесь ею, но не забывайте о чувстве меры, подчеркивая очевидное.) Никогда не говорите о физической привлекательности начальника противоположного пола, если только не обладаете красноречием и не способны убедить его в том, что не имеете на него видов.

Читая ладонь знакомого вам человека, можете смело говорить о том, что знаете: «Вы любите своего начальника, вы смелы, достойны доверия и любите работать». Почти в любом случае можете добавить: «Вашу работу недооценивают». (Это не слишком большой риск. Мало кто чувствует себя оцененным по достоинству.)

Почти любому вы можете сказать, что видите множество непредсказуемых событий — разве что девяностолетней бабушке в инвалидном кресле говорить этого не стоит. Скажите одному, что путешествие может оказаться короче, чем ожидалось ранее, а другому — что оно будет дольше. (Возможно, речь идет о походе в бакалейную лавку, а возможно, о поездке в Испанию. Откуда вам знать? Вы же не ясновидящий!)

Когда вы хотите сменить тему...

Скажите: «У вас удивительно сложный характер, мне очень трудно прочесть что-то по вашей ладони. В вашей жизни явно что-то осталось незавершенным, вам нужно восстановить равновесие. Только когда вы завершите все начатое, мы сможем узнать о вас больше».

Мудрый совет

Люди должны знать, что их будущее только в их собственных руках. Выскажите свое мнение о том, какую роль судьба играет в жизни человека. Постарайтесь сделать так, чтобы ваши слова заставили собеседника почувствовать себя лучше. И не забудьте напустить побольше тумана, чтобы выглядеть загадочным и таинственным.

Как произвести впечатление на окружающих своими познаниями о

ФИЛОСОФИИ

Вот какое определение дала философии одна женщина: причина плюс логика плюс математика плюс физика плюс вера, все смешать в большом стакане и подавать с доброй щепоткой скептицизма.

А вот какое определение можно найти в словаре: философия — наука о всеобщих закономерностях, которым подчинены как бытие, так и мышление человека...

Грандиозная задача, не так ли? Уверен, что, прочитав эту главу, вы перестанете пугаться такого сложного предмета, как философия, обещаю вам это, читатель. Но не требуйте от меня слишком многого.

Общий обзор

Сократ, первый известный человечеству философ, никогда не записывал свои идеи. Это сделал за него Платон, его знаменитый ученик, что вполне естественно для молодого человека из хорошей семьи, который повсюду следовал за своим старым учителем. Учитель задавал ученикам странные вопросы, которые должны были разрушить привычные стереотипы, изменить их представление о реальности. А затем он предлагал им несколько вопросов и притчей, которые должны были помочь им осознать, что есть реальность, а что нет.

Поступая таким образом, Сократ излагал свои идеи, наблюдения, суть которых сводилась к следующему: сущность предметов гораздо более реальна, чем те их аспекты, которые доступны восприятию человека. Любая добродетель ведет к добру — к познанию собственного «я» и осознанию цели жизни. Учение Сократа не осталось незамеченным. Афинские власти обвинили его в развращении молодежи, в неверии в богов и приговорили к смерти. Сократ подчинился решению властей, но не покорился им. Он выпил чашу с ядом, отказавшись уступить своим обвинителям. Это высочайший пример верности принципам, даже если цена этому — собственная жизнь.

Однако очень скоро афинские власти поняли, что мертвый мученик гораздо опаснее живого философа. Идеи Сократа приобрели огромную популярность. Платон основал собственную школу, Академию, и продолжил дело учителя с того момента, на котором оборвалась жизнь Сократа. Но он не просто развивал идеи учителя, он излагал собственные теории. В частности, Платон считал, что идеальные формы существуют вне материального мира. Наиболее известными произведениями Платона являются «Симпозиум», где философ рассуждает об истинной природе любви, и «Республика», большой цикл, посвященный вопросам государственного управления, отражающий недоверие Платона к идеям демократии. (Это и неудивительно, если принять во внимание публичное унижение и казнь Сократа в Афинах.) Большая часть того, что мы знаем о Сократе, была записана Платоном. Оба философа пользовались методом «вопрос — ответ». Задавая вопросы и отвечая на них — так они стремились познать высшие истины.

Ученик Платона Аристотель, закончив обучение в Академии, основал собственную школу, Лицей. Как и Платон, Аристотель считается одним из величайших умов античного мира. Он признавал важность опыта и логического анализа в познании истины как в философии, так и в науке. Аристотель не соглашался с Платоном по вопросу о существовании идеальных форм. (Аристотель полагал, что форма и материя едины.) Аристотель был учителем Александра Македонского, хотя вопрос о том, насколько великий ученик усвоил идеи своего великого учителя, попрежнему остается открытым.

Греция пала, началось возвышение Рима, и этот период также характеризовался расцветом философии. Очень скоро появились такие крупные философы, как Лукреций, считавший страх перед смертью бессмысленным, поскольку душа, по его мнению, состоит из атомов, а все явления, в том числе создание Вселенной, управляются законами естественного развития. Позже император Марк Аврелий предложил совершенно иной подход к жизни, основанный на концепции долга, верования, разума и понимания связи между богом и человеком. Только идя таким путем, человек может справиться со всеми трудностями жизни. Учение Лукреция можно назвать эпикурейским, по имени греческого философа Эпикура, чьи работы Лукреций тщательно изучал. Марк Аврелий стал основателем школы стоиков.

Начало современной философии положил Рене Декарт, который с предельной краткостью изложить суть своего учения: «Cogito ergo sum» — «Я мыслю, следовательно, я существую». Декарт считал, что в мире полной неопределенности человек может быть уверен в собственном существовании только благодаря способности мыслить. Декарт также сформулировал тезисы о природе познания. Он проповедовал дуализм души и тела, что свидетельствовало о принятии как идей Платона, так и основных принципов христианской теологии.

Основными вопросами, которые ставили перед собой Декарт и многие его последователи, были следующие: могут ли люди с полной уверенностью утверждать, что они понимают природу событий, происходящих во внешнем мире? И если да, то какова природа этого знания? Барух Спиноза развил утверждение Декарта о том, что разум может привести к абсолютному знанию. Это учение получило название рационализма. Эмпирики (а среди них Джон Локк и Джордж Беркли) не соглашались с этой точкой зрения и считали, что знания можно достичь лишь опытным путем, а не размышлением. Мостик между двумя учениями проложил Иммануил Кант, который признавал важность обеих точек зрения. Кант стремился доказать, что разум не только *бесстрастный мыслитель*, но и активный участник человеческого опыта.

Более прагматично ориентированные

философы развивали политическую и экономическую философию. Самые известные имена в этой области — Никколо Макиавелли, Томас Гоббс, Жан-Жак Руссо и Джон Стюарт Милль.

Другими важными философскими учениями является идеализм (определение, предложенное Гегелем и оспариваемое Шопенгауэром: внешний мир не реален, он существует лишь в человеческом разуме) и экзистенциализм (Сёрен Кьеркегор, Фридрих Ницше и Жан-Поль Сартр концентрировали внимание на человеческом существовании, которое, по их мнению, являлось определяющим в вопросах выбора, веры, свободы воли и самого существования как такового).

В последние годы наиболее важными философскими учениями стали прагматизм (наиболее известный представитель — Вильям Джеймс, считающий наиболее достойными внимания полезные, практичные и перспективные теории, а не логические изыски), логический позитивизм (Бертран Расселл, который полагает, что глубокие вопросы поиска истины и познания мира нельзя решать, основываясь на прямом опыте), а также деконструктивизм (Жак Деррида, пытающийся понять сущность мира, анализируя язык, речь и литературу).

Что вы можете сказать

Философия — это такая тема, где лучше всего соблюдать осторожность. Чем меньше вы скажете, тем умнее будете выглядеть. Основные сведения о некоторых направлениях философии вы уже получили (см. выше), а несколько предложенных мною фраз, несомненно, пригодятся вам. Вы должны постоянно помнить, что большинство философов рассуждало об абстрактных вопросах, не имеющих абсолютных ответов. Ведя разговор о философии, гораздо важнее правильно сформулировать вопрос, а не пытаться дать ответ. Так вы покажетесь собеседнику знающим и компетентным. Поэтому, если вам задали вопрос, попробуйте ответить на него вопросом.

Вот три способа сделать это.

«Я полагаю, что мы вернулись к аллегории пещеры, не так ли?» (Речь идет о знаменитой истории, рассказанной Платоном в «Республике». Человек, не имеющий наставника, подобен узнику, прикованному в пещере, который видит только игру теней на стенах и полагает, что они реальны. Платон считал, что такому человеку нужно приблизиться к огню высшего добра посредством дисциплинированного развития разума.)

«Разве идея Декарта о разделении материи и разума не вызывает споров до сих пор?» (Декарт, будучи математиком, хотел получить доказательства всему, но его утверждение о том, что материя и дух имеют разную природу, вызывало и до сих пор вызывает ожесточенные споры.)

«Почему Кьеркегора считают основателем философской школы? Разве экзистенциализм — будь то в девятнадцатом веке или в двадцатом — не является простым набором унылых разглагольствований?» (Повышенное внимание Кьеркегора к вопросам религии и человеческого страдания, а также более поздние идеи, родившиеся из его работ, дали основания ученым расценивать экзистенциализм как выражение депрессии, а не как философскую систему, призванную прояснять фундаментальные истины.)

Когда вы хотите сменить тему...

...процитируйте высказывание Ницше о философии Сократа («святой покровитель моральной болтовни») и скажите, что в такой области, как философия, очень трудно прийти к согласию, что, впрочем, справедливо и по отношению к любой другой теме. А затем и смело переходите к тому, о чем вам хотелось бы поговорить.

Мудрый совет

Не советую вам пытаться читать Кантову «Критику чистого разума». Это не всегда благоприятно сказывается на здоровье.

Как произвести впечатление на окружающих своими познаниями о

ФОТОГРАФИИ

В наши дни трудно найти человека, который не имел бы фотоаппарата — от простейших «мыльниц», которые можно купить в любом магазинчике, до сложнейшей техники профессионалов. Фотокамеры стали неотъемлемой принадлежностью современной жизни, и время от времени ими пользуются практически все. Вот несколько ключевых моментов, которые могут вам пригодиться в том случае, если речь зайдет о фотографии.

Общий обзор

Беседа на эту тему может пойти очень разнообразно, все зависит от того, являетесь ли вы и ваши собеседники новичками в этом деле или уровень ваших знаний приближается к профессиональному.

В отличие от фотожурналистов, фотографов-любителей можно разделить на две категории — тех, кто полагается на оснащение, и тех, кто больше доверяет художественному чутью. Мой совет для разговора с технофилом очень прост: улыбайтесь и кивайте, что бы он ни сказал. Если вас спросят, чем вы сами любите фотографировать, все с той же приятной улыбкой скажите, что вы очень консервативны и предпочитаете всем новшествам старую добрую «Лейку». Можете напустить тумана относительно вашей личной философии процесса фотографии. Скажите, что вас никогда не волновали технические детали. «Боюсь, что я довольно прагматичен: если Эдвард Вестон мог использовать обычную электрическую лампочку для фотоувеличителя, то к чему все эти технические изыски? Главное — результат!» Еще раз улыбнитесь и... займитесь поисками подходящей натуры.

Что можно сказать

«История фотографии? Это элементарно!» (Вот хорошее начало для разговора о фотографии с новичком. Так вы сможете поговорить об изобретении первой в мире фотокамеры.)

«Я полагаю, что фотография ведет свое начало от камеры обскуры, не так ли?» (Камера обскура — это темное помещение, но не комната, которой пользуются современные фотографы для проявки пленок и печатания фотографий. Это темный ящик, часто достаточно большой, чтобы в нем можно было стоять, в одной стене проделано небольшое отверстие, в которое вставлена линза. Свет поступает через отверстие, и на противоположной стене появляется изображение того, что находится снаружи. Эти образы можно было скопировать. В восемнадцатом веке камера обскура стала средством (и часто основным!), которое использовали художники, чтобы добиться реализма в своих произведениях. Камера обскура появилась задолго до того, как Леонардо да Винчи сконструировал свой собственный вариант. Но кто бы ее ни придумал, этот человек положил начало изобретению фотографии.)

Вы можете произвести впечатление на собеседника, сказав: «Французы сделали первую в мире фотографию — и с тех пор удержу не знают в своем любимом развлечении!» В 1826 году Йозеф Нисефор Ньепс запечатлел дворик перед своим домом — на асфальте! Снимок получился прелестный, хотя довольно расплывчатый. И подумать только — ему потребовался для этого целый день! Однако мировую славу завоевал другой француз — Луи Дагерр. Он изобрел процесс фиксации образа. Такие снимки получили название дагерротипов. Долгое время люди стремились увековечить свой образ на дагерротипах. Но проблема в том, что его нельзя воспроизводить. Он требует применения химикатов, а темные комнаты, где шел процесс, плохо вентилировались, что приводило к отравлениям.

Фотография стала более практичной, когда люди научились печатать снимки на бумаге. Этим изобретением мы с вами обязаны Вильяму Генри Фоксу Тэлботу, его вклад в развитие фотографии неоценим. Сначала образы на Тэлботовых кэлотипах, как он их назвал, были негативными изображениями, но скоро он научился проявлять их.

Если хотите, можете поговорить о той значительной роли, которую фотография играет для художников, и как она помогает сохранить историю.

«Начало Гражданской войны, — можете сказать вы с умным видом, — привело к развитию фотожурналистики благодаря таким людям, как Мэррью Брэйди». Брэйди снимал людей, церемонии, поля сражений для открыток. Он не останавливался даже перед тем, чтобы перетащить несколько тел и создать нужную композицию. Позже фотографы последовали его примеру. Они снимали известных людей, самые значительные события современности, и благодаря фотографии теперь каждый человек становился свидетелем истории.

Дальше вы можете поговорить о том, как фотография стала широко доступным средством.

Вспомните, что: «Истмен стал величайшим демократизатором в истории фотографии». Многие люди смогли прикоснуться к этому чуду благодаря усилиям Джорджа Истмена. За двадцать пять долларов Истмен любого обеспечивал портативным фотоаппаратом, которым мог пользоваться даже ребенок. Затем человек возвращал фотоаппарат компании, которая проявляла пленку и через несколько недель отправляла готовые снимки по почте — чудо из чудес! Впервые любой человек мог стать фотографом, даже тот, кто не имел ни малейшего представления о технической стороне дела. Эта удачная маркетинговая кампания ознаменовала начало новой эры, во всех концах света появилось бесчисленное множество фотографов-любителей.

В наше время мы располагаем огромным выбором фотоаппаратов для домашней и профессиональной съемки. И снова возродились кодаковские камеры, которые покупаются вместе с пленкой и сдаются на проявку.

Порой в разговоре могут всплыть некоторые имена известных фотографов, которые неплохо бы знать, чтобы произвести впечатление на собеседников. Стараясь выглядеть компетентным, вы должны обладать знаниями и из истории фотожурналистики тоже.

Кроме тех, о ком мы уже поговорили, важную роль в истории фотографии сыграли и другие люди.

Алфред Стиглиц — отец фотографии как искусства. (Интересная деталь: Стиглиц был женат, правда, недолго, на художнице Джорджии О'Киф.)

Ансел Адамс — репортер, работавший по всему миру, самый влиятельный фотожурналист в истории.

Эдвард Стейчен — выдающийся фотожурналист в области архитектуры, широко известны его фотографии мостов и небоскребов.

Анри Картье-Брессон — прославился умением уловить момент, так называемое «уединение в толпе».

Маргарет Бурк-Уайт — настоящий гигант фотожурналистики. Она умела попасть туда, где до нее не бывала ни одна женщина. Ей удалось сфотографировать Махатму Ганди.

Доротея Ланг — эта женщина внесла в фотографию подлинную теплоту и чувственность. Известны ее фотографии фермеров и рабочих эпохи Великой депрессии. Благодаря им становится понятно, какую цену заплатили миллионы простых американцев за свое нынешнее процветание.

Эдвард Вестон. Может ли зеленый перец быть сексуальным? От фотографий

Вестона мороз идет по коже, и никто не понимает почему.

Джордж Истмен — основатель компании «Кодак» (им самим придуманное словечко). В Америке его часто называют «наш добрый желтый папочка» (цветы эмблемы компании).

Ричард Аведон — мастер портрета и фотографий в области моды. Прославился своими необычными фотоснимками. Это не просто платье, а платье с двумя слонами!

Дайан Арбус — нервное и странное дитя такого же странного, нервного времени. Фотографии трансвеститов, карликов и нудистов отражали ее собственную отчужденность и одновременно смелость быть изгоем. К сожалению, это не помешало ей покончить с собой в довольно молодом возрасте.

Энни Лейбовиц — как никто другой, умела раскрыть индивидуальность, порой заставляя известных людей сниматься в необычном и даже экзотическом виде. Джона Леннона она сфотографировала обнаженным, а «Блю Бразерс» для нее раскрасили лица синей краской.

Хельмут Ньютон — создатель нового, чрезвычайно чувственного, сексуального стиля фотографии.

Роберт Маплторп — «плохой парень» от фотографии. Техническое мастерство фотохудожника довело до невероятной высоты гомоэротичные фотографии. Однако пусть вызвавшие полемику шипы не помешают вам насладиться розами.

Когда вы хотите сменить тему...

Если вы исчерпали свой запас знаний, то лучше всего повергнуть собеседника в задумчивость многозначительной фразой вроде: «В наше время фотография стала таким легким делом, что ее глубинный смысл полностью исчез. Даже не знаю, считать ли это благословением или проклятием».

Вам не удалось завладеть разговором? Смиритесь. Пока собеседник будет развивать подброшенную вами тему — отвлекитесь и помечтайте.

Мудрый совет

Умение импровизировать — вот что необходимо любому человеку, который хочет прослыть хорошим собеседником. Зайдите на досуге в библиотеку и освежите в памяти кое-какие факты и имена, часто всплывающие в разговорах.

Как произвести впечатление на окружающих своими познаниями о

ПСИХОЛОГИИ

Каждый из нас либо сам прибегал к услугам психоаналитика, либо прекрасно знает людей, которые проходили курс психоанализа. Следовательно, разговор о психологии вполне может зайти в любой компании. Ниже мы расскажем вам об основных идеях современной психологии, которые помогут вам легко и непринужденно вести беседу на эту тему.

Общий обзор

Любой разговор о психологии будет связан с работами двух гигантов этой науки. Первым титаном мысли был...

Зигмунд Фрейд. Что бы ни говорили об идеях Фрейда в наши дни, его влияние на исследование вопросов развития личности трудно переоценить. Фрейд был основателем психоанализа. Он ввел понятия «Эдипова комплекса» у мужчин и «комплекса Электры» у женщин. Его идея заключалась в том, что ребенок подсознательно стремится иметь сексуальные отношения с родителем противоположного пола.

Фрейд не только дал определение подсознания, но и разделил его на три части: Ид, Эго и Суперэго.

По Фрейду человеку от рождения дается Ид, инстинкт: эта часть нашего подсознания отражает исконную агрессию и сексуальность. Эго отвечает за безопасность, она контролирует Ид и не дает инстинктам вырваться на волю. А Суперэго — это своего рода «родительский голос» нашего подсознания, он пытается удержать нас в социальных рамках общества, в котором мы существуем.

Затем он определил три этапа человеческого развития: оральный, анальный и генитальный. Если человек проходит их последовательно и в свое время, он развивается нормально. Но если вы остановитесь на каком-либо из этапов или какой-нибудь из них пропустите, то вам не избежать проблем — по крайней мере так считал Фрейд. Значимость этих этапов стала предметом самых оживленных обсуждений с того момента, как они были впервые сформулированы, — особенно третий, когда мальчики и девочки задумываются о том, что же их отличает друг от друга. На этом этапе, считают фрейдисты, мы начинаем стремиться к сексуальным отношениям с родителем противоположного пола. Эта идея была спорной в момент своего создания, таковой она остается и по сей день, подвергаясь ожесточенной критике, — как и его теория подсознания.

Тем не менее работы Фрейда оказали глубочайшее влияние на развитие науки и в частности на другого великого психолога. Это...

Карл Густав Юнг. Юнг был учеником Фрейда, но он порвал со своим учителем и стал развивать собственные идеи относительно подсознания. В отличие от Фрейда он мало интересовался последствиями подавления бессознательного, но разработал теорию существования сложного комплекса идей и образов, которые могут казаться несвязанными, но которые возникают и обретают смысл исключительно в результате работы подсознания. Юнг делил людей на две категории: интровертов и экстравертов. Он выдвинул идею женского начала у мужчин (анима) и мужского начала у женщин (анимус). Юнг считал, что культура оперирует огромным океаном идей и образов, — это коллективное бессознательное человечества, которое проявляется через мифы и легенды. Он назвал их архетипами.

Со времен Фрейда и Юнга возникло множество новых течений в изучении ментальных процессов, но для начинающего, каким, мы полагаем, являетесь вы, достаточно знать основные идеи Фрейда и Юнга. (И не забудьте еще об одном: психиатры — это врачи, которые изучают психические расстройства и заболевания, а также занимаются их лечением; психологи — это специалисты, изучающие мыслительные процессы, как здоровые, так и отклонения. Некоторые психологи в США занимаются и лечением. Но они не являются медиками.)

Что вы можете сказать

«Фрейдова теория подавления бессознательного во многом отражает как сексистские убеждения его времени, так и собственные пристрастия доктора». (Не надо забывать, что Фрейд был врачом. И его кропотливые исследования в области невропатологии по достоинству оценены медициной.)

«Порой Фрейд ставит меня в тупик: кто на самом деле зацикливался на сексе — его пациенты или он сам?» (Вы можете заметить, что Юнг, напротив, уделял гораздо меньшее внимание вопросам секса.)

«Юнг интересовался процессами мышления и образования идей — откуда они возникают и как проявляются». (Он утверждал, что коллективное бессознательное состоит из общечеловеческих символов или архетипов.)

«Юнг был первым психологом, исследовавшим идею синхронности». (Синхронность — это процесс, при котором совершенно не связанные между собой события происходят одновременно, что приводит к неожиданным результатам как в анализе, так и в общем принятии решений.)

«Фрейд и Юнг считали, что сны помогают человеку открыть истину, минуя сознание». (Оба великих психолога считали, что подсознание принимает постоянное участие в человеческой жизни, а истина не всегда лежит на поверхности.)

Когда вы хотите сменить тему...

Как только представится возможность, громко выразите свое удивление тем, что Фрейд положил начало растущему неодобрению курения — универсального порока большинства людей, и связывал это явление с почти всеобщим отвращением к чему-то невкусному, неприятному в оральном смысле. Можете также заметить, что сам Фрейд был завзятым курильщиком и умер от рака.

Мудрый совет

Не затевайте разговора о ручках, сосисках, бананах, отвертках, пестиках и тычинках или еще о чем-либо фаллическом с ярым фрейдистом, если только не располагаете приличным запасом времени.

Как произвести впечатление на окружающих своими познаниями о

КВАНТОВОЙ МЕХАНИКЕ

Наши представления об энергии и движении навсегда изменились после того, как в 1900 году Макс Планк открыл так называемый квант действия, а в 1927 году Вернер Гейзенберг сформулировал принцип соотношения неопределенностей. Мы хотим рассказать вам об основных положениях квантовой механики, которые вместе с теорией относительности (см. специальную главу «Теория относительности Эйнштейна») заложили фундамент современной теоретической физики. Давайте же перейдем к сути, и вы сможете произвести впечатление даже на самого себя!

Общий обзор

Что же такое принцип неопределенности? Разве наука не связана с конкретными результатами, предсказуемыми последствиями и незыблемыми законами — как те, которые сформулировал Ньютон? (См. специальную главу «Ньютонова физика».) Нет, в мире квантовой механики все по-другому.

Квантовая механика утверждает, что на атомном и субатомном уровне энергия — это не фиксированная сущность, что она не обладает постоянным диапазоном значений, а, наоборот, излучает и поглощает неопределенным образом. Как утверждает теория, никто не может абсолютно точно измерить два начальных условия квантового объекта — координаты и импульсы. (Чем более точно вы определяете одно условие, тем расплывчатее делается другое. Например, если импульс измерен абсолютно точно, то определить координаты становится невозможно, так как квантовый объект находится в постоянном движении.) Этот эффект в соответствии с квантовой теорией можно предсказать и выразить только на языке вероятности — вероятность того, что определенный результат будет иметь место.

Вы еще здесь? Потерпите, осталось совсем чуть-чуть. Квантовые теоретики предположили, что свет, который традиционно считался волной, может в некоторых случаях рассматриваться как вещество, состоящее из отдельных частиц, называемых фотонами. Аналогично квантовая теория утверждает, что атомные частицы (например, электроны) обладают волновыми характеристиками.

Если суммировать все вышесказанное, можно утверждать, что на атомном и субатомном уровне энергия не может изменяться непрерывно и предсказуемо, как того можно было бы ожидать, основываясь на показаниях приборов, которые всем нам хорошо знакомы. Что касается Ньютоновой физики, они дают прекрасные результаты. Но когда речь заходит об атомах, атомных ядрах и элементарных частицах, все становится таким... неопределенным. Основа принципа неопределенности, как мы с вами уже обсудили, заключается в том, что вы не можете одновременно определить и скорость, и местоположение частицы.

Что вы можете сказать

«В принципе энергия — это способ действия и может рассматриваться порой как волна, а порой как поток, состоящий из отдельных частиц». (Полагаю, что эта фраза была бы лучшим выражением самой сути квантовой теории.)

А можете сказать так: «Если революцию в физике совершил один человек — Ньютон, то развитие квантовой теории в

XX веке — это заслуга многих ученых — Планка, Гейзенберга, Альберта Эйнштейна и Нильса Бора».

Или так: «Если теория относительности имеет дело с невообразимыми скоростями, то квантовая механика помогает объяснить явления, происходящие с супермалыми частицами». (Квантовая механика и теория относительности подняли физику до немыслимых высот. Их выводы не опровергают законы Ньютона. В обыденной жизни нам даже не приходится сталкиваться с ними. Но в определенных обстоятельствах понять происходящие процессы можно только с точки зрения квантовой механики и теории относительности.)

Когда вы хотите сменить тему

Как в вопросе теории относительности, ваш собеседник скорее всего имеет плохое представление о предмете разговора, что оставляет вам свободу действий. Вы можете заметить, что наблюдение за скоростью электрона изменяет сам фундаментальный принцип наблюдения, а затем изложить собственные взгляды на философию или, скажем, скульптуру. (См. отдельные статьи «Философия» и «Скульптура».)

Мудрый совет

Квантовая теория полна парадоксов, которые ставили в тупик лучшие умы человечества. Будьте осторожны, когда говорите о волнах, частицах или о чем-нибудь еще столь же загадочном и непостижимом.

Как произвести впечатление на окружающих своими познаниями о

РЕЛИГИИ

Словарь определяет религию как «систему убеждений какой-нибудь социальной группы, в которой главную роль играет объект поклонения и предписанный этический кодекс». Итак, мы выяснили основное, остается уточнить некоторые мелкие детали. Люди всегда обижаются, когда кто-то упрощает или неверно истолковывает положения их религии, но вы же не хотите обижать собеседника, правда? Итак, что же вам сказать? Вы достаточно храбрый человек? И действительно хотите ввязаться в бесплодный разговор об особенностях и справедливости положений основных мировых религий?

Ну хорошо, вы сами этого захотели. Могу лишь посоветовать соблюдать осторожность. Вы должны помнить, что я предлагаю вам лишь самую суть каждой религии. Вопрос этот остается открытым и очень деликатным. Если вы будете чутким и внимательным собеседником, то сможете проложить мостик между собой и человеком, чьи религиозные убеждения отличаются от ваших.

Общий обзор

Обратите внимание, я сказал «основных» религий, а это уже само по себе подразумевает, что существует еще множество «неосновных», — не самое вдохновляющее начало, верно? Но давайте сразу же оговоримся: мы рассмотрим основы только пяти самых влиятельных мировых религий, имеющих наибольшее количество последователей и сторонников. Итак, начнем.

Буддизм возник около 525 года до нашей эры. Его основателем стал Сиддхартха Гаутама, известный как Будда. Путем долгих медитаций он сумел достичь состояния просветления. Религия основывается на телесной и духовной дисциплине, необходимой для освобождения от ограничений физического мира. Цель буддиста — достижение нирваны, состояния полного покоя, когда человек полностью освобождается от всего внешнего, в том числе и от суетных мыслей, связанных с собственным «я». Священные книги, в том числе «Трипитака», суммируют суть учения Будды. Существуют собрания изречений и высказываний Будды, многие из которых называются сутрами. В буддизме выделяются три основных течения: теравада (представляющая собой отголосок традиционного учения — хинаяны), проповедующая важность чистоты поступков и помыслов; махаяна, включающая в себя учения дзен и сока-гаккаи, последователи которой практикуют множество философских и духовных приемов, основывающихся на идее милосердия; и тантризм, эклектичный набор убеждений, особое значение придает ритуалам и медитации. Это разделение в действительности не такое четкое, так как в зависимости от секты и района земли буддизм сильно видоизменяется. Это очень гибкая религия, однако некоторые основные принципы признаются всеми буддистами; как, например: жизнь — это страдание и разложение, она не существует в действительности; цикл рождения и смерти сохраняется только благодаря обманчивой привязанности к собственному «я»; путем медитации этот цикл можно прервать, и человек достигнет подлинного освобождения и состояния нирваны.

Христианство — это большая группа учений, основывающихся на едином принципе, несмотря на значительные различия. Все христианские исповедания основываются на вере в явление, смерть и воскресение Иисуса Христа, описываемых в Евангелии Нового Завета. Основа христианской доктрины — это вера в спасение человечества и прощение грехов милостью господней через страдания Христа, вера в то, что христиане обретут новую, прекрасную и вечную жизнь. Невозможно в одной небольшой статье рассказать обо всех различных течениях в христианстве, но вы наверняка и сами знаете об этом достаточно, чтобы произвести впечатление на менее компетентного человека, а таких в нашем обществе большинство. Римская католическая церковь утверждает, что ведет свое начало от самого Иисуса Христа, и считает римского папу наместником бога на Земле. Православная церковь имеет столь же древнее происхождение. Ранее она являлась восточным ответвлением христианства, но в 1054 году после долгих лет обсуждения основной доктрины и вопроса главенства произошел раскол и возникло два направления: католицизм (римская церковь) и православие. В шестнадцатом веке в процессе Реформации образовалась протестантская церковь, которая состоит из множества различных сект (их насчитывается более двухсот!), как старинных, так и новых. Основные течения в протестантстве — это церковь свидетелей Иеговы, баптисты, церковь Христа, епископальная церковь, церковь святых последнего дня (мормоны), лютеранская церковь, методистская, пресвитерианская, а также объединенная церковь Христа. В последние годы в экуменическом движении наметилась тенденция к поиску точек соприкосновения и выработке единой веры для всех христиан.

Индуизм — это очень древняя и до сих пор по-настоящему непонятая религия, не имеющая единого основателя. Она возникла около 1500 года до нашей эры, когда ведические верования арийских завоевателей смешались с традициями местного населения Индии. Индуизм включает в себя огромное множество различных сект и не имеет строго определенной структуры. Однако существуют некоторые основные принципы, такие как священность ведических текстов, существование единого божественного принципа, выражающегося через множество различных богов; почитание самой жизни как священного проявления божественного единства. В то же время индуисты считают, что цикл «рождение — смерть — возрождение» (самсара) в соответствии с принципом кармы зависит от поступков личности в ее прежних воплощениях (инкарнациях). Чтобы освободиться от власти прошлого, нужно очиститься и полностью посвятить себя одному из божественных воплощений. Это самое главное для любого индуиста. Индуизм характеризуется бесчисленным множеством богов и местных учений. Все они основываются на кастовой системе, которая на протяжении веков ставила одних людей выше других. (Некоторые элементы кастовой системы сохранились в Индии до наших дней. Эта страна упорно сопротивляется любым изменениям существующих традиций.) Хотя первоначально индуизм связывался только с Индией, но он оказал глубокое воздействие на другие верования — в частности, на буддизм, который фактически вырос из индуизма.

Ислам был основан пророком Мухамадом в Медине на Аравийском полуострове в 622 году нашей эры. Священной книгой ислама является Коран, который считается (в своем оригинальном, не переведенном виде) истинным словом бога. Кроме этого, существует священная книга Хадит — собрание изречений, приписываемых пророку. Последователей ислама называют мусульманами. У них есть пять обязанностей: 1) верить в бога единого («Нет бога, кроме Аллаха...»); 2) пять раз в день молиться; 3) уделять определенную долю своего дохода на благотворительные цели; 4) поститься в дневные часы в священный месяц Рамадан; 5) если возможно, совершить святое паломничество в Мекку. Ислам делится на две основные секты: суннитов и шиитов. Суннизм — это ортодоксальное учение. Оно наиболее распространено среди мусульман и состоит из множества различных учений. Сунниты считают (и в этом их главное отличие от шиитов), что религиозные наставления можно почерпнуть лишь из Корана и Хадита, наставления же людей, духовных лидеров не играют важной роли. Мусульмане-шииты более свободны, чем сунниты, они придают важное значение учению духовных лидеров, имамов. Существует еще одно течение ислама — это мистическое суфистское учение, суть которого в том, что верующий должен лично постичь божество. Ислам — это монотеистическая религия. Она имеет много общего с иудаизмом и христианством.

Иудаизм возник примерно в 1300 году до нашей эры. Основателем религии считается патриарх Авраам, а основной источник иудейской веры — Тора. В письменном виде Тора представляет собой пять первых книг еврейской Библии и считается священной. Кроме того, существует Талмуд, Мидрах, другие книги еврейской Библии (в христианстве — Ветхий Завет) и большое количество комментариев и толкований. Важное значение в иудаизме имеют ограничения в питании и почитание дня субботнего. Существует три основных направления иудаизма — ортодоксальное, консервативное и реформаторское, которые значительно отличаются друг от друга. Реформаторская школа больше всего подвержена современным социальным влияниям, а ортодоксальная, напротив, следует древним правилам и наставлениям. Но и внутри этих трех направлений существует множество разнообразных точек зрения на те или иные вопросы, в основном касающиеся значения древних текстов в жизни современного человека, исповедующего иудаизм. Всех иудеев объединяют основополагающие принципы: бог един, он создатель и повелитель вселенной, он установил особую связь с еврейским народом и дал закон, которому этот народ должен подчиняться. Если еврей подчиняется божественному закону, ему будет дарована милость господня. Иудеи придают особое значение этичному поведению по отношению к другим людям. В традиционных конгрегациях этот постулат сочетается с исполнением традиционных обязательств, предусмотренных священными книгами.

Что вы можете сказать

Давайте подумаем вместе. Не пытайтесь переубедить собеседника, не делайте обобщений, не проводите параллелей, которые вы не в состоянии обосновать. Когда речь заходит о религии, лучше всего процитировать кого-нибудь из великих людей.

Вот несколько высказываний, причем, заметьте, их авторы точно знали, о чем говорят.

«Я чувствую, что бог есть, и не чувствую, что его нет. Для меня этого достаточно».

Жан Лабрюйер

«Все зло исчезает из жизни силой того, в чьем сердце сияет солнце».

Рамаяна

«Если в вашем сердце есть любовь, значит, вы поступаете правильно».

Томас Мертон

«Религия — это действие; человек не думает о своей религии, не чувствует ее, он просто живет ею так, как способен; в противном случае это уже не религия, а фантазия или философия».

Георгий Гурджиев

«Бог — это день и ночь, зима и лето, мир и война, пресыщение и голод».

Гераклит

«Бог — это круг, центр которого — повсюду, а окружность — нигде».

Вольтер

Когда вы хотите сменить тему...

Если собеседник начнет погружаться в теологические дебри — дышите глубже и глазейте по сторонам. Когда наступит пауза, быстро скажите: «Мой отец (дядя, бабушка, прадедушка — кто угодно) всегда говорил, что самая разумная религия — здравый смысл. Думаю, это лучший критерий. Не лучше ли нам перейти к более светским темам?...»

Мудрый совет

Если вы сомневаетесь — лучше промолчите...

Как произвести впечатление на окружающих своими познаниями о

РЕНЕССАНСЕ

Боб Дилан как-то раз заметил в одном из интервью, что никто из тех, кто совершал переворот в социальной и художественной жизни в шестидесятые годы, никогда не думал о своем времени как об эпохе. То же самое справедливо и в отношении Ренессанса — этот удобный ярлык придумали в восемнадцатом веке, после того как само возрождение давно закончилось. Что же имели в виду изобретатели термина? Об этом мы с вами сейчас и поговорим.

Общий обзор

Ренессанс начался в Италии в первые годы четырнадцатого столетия. Его связывают прежде всего с именами Петрарки и Боккаччо, с изобретением книгопечатания и значительными географическими открытиями того периода. Ренессанс считается одной из важнейших эпох в истории человечества, которая разделила средневековье и новое время.

Он характеризуется возрождением (отсюда второе название) культуры, науки и искусства Древней Греции и Рима. Европа открыла для себя классических мыслителей, писателей и художников. Возрождение связано и с огромным интересом (что наиболее важно) к научным исследованиям. Мнение давно почившего Аристотеля, чьи работы слепо почитались как истина в последней инстанции, наконец-то подверглось сомнению. Лучшие умы того времени задались вопросом, а действительно ли планеты вращаются в хрустальных сферах?

Ренессанс подарил миру идею ценности человеческой личности. Эта мысль стала основной идеей движения гуманизма, давшего мощный толчок развитию искусства и науки в Европе.

Перемены, вдохновляемые экономическими достижениями, шли постепенно, причем в разных областях Европы в разное время. Возрождение, начавшись в Италии в четырнадцатом веке, оказывало невероятное воздействие на социальную, художественную, музыкальную, научную и литературную жизнь западноевропейских стран вплоть до семнадцатого века. В этот период возникли первые теории классового общества.

Главные фигуры эпохи: художники Леонардо да Винчи, Микеланджело Буонаротти, Бенвенуто Челлини и Рафаэль; ученые Николай Коперник, Галилео Галилей и Иоганн Кеплер; философы Эразм Роттердамский, Фрэнсис Бэкон, Мишель Монтень; писатели и драматурги Мигель Сервантес, Томас Марло, Вильям Шекспир и Бен Джонсон.

Что вы можете сказать

«Разве неудивительно, что когда-то Галилею пришлось пожалеть о том дне, когда он впервые услышал об этом чертовом телескопе?» (Напечатанная работа Галилея, поддерживающая гелиоцентрическую теорию Коперника и его модель планетарной системы, была запрещена римской католической церковью. Она основывалась на его собственных наблюдениях неба, сделанных с помощью последнего достижения техники — телескопа. Великому ученому грозили пытками, заставляя отречься от своих взглядов. Последние годы жизни он провел под домашним арестом.)

«Как вы считаете, да Винчи специально учился писать задом наперед?» (Леонардо да Винчи оставил после себя свыше четырех тысяч страниц дневников и заметок, содержащих чертежи и результаты

8 Зак. № 2842 Гамильтон

наблюдений. Многие из его заметок написаны «задом наперед», чтобы сохранить тайну. Леонардо — воистину человек эпохи Возрождения. Он был гениальным художником, инженером, ученым и скульптором. Многие его научные изобретения вызывают интерес как любопытные курьезы или гениальные предвидения, он не внес значительного вклада в развитие технологии своего времени. Однако Леонардо — гениальный художник и мастер композиции и считается одним из наиболее значительных мыслителей своего времени.)

«Потолок Сикстинской капеллы Микеланджело расписывал четыре года. Большую часть росписи он сделал лежа на спине». (Микеланджело Буонаротти находился под сильным влиянием Леонардо да Винчи. Сверхчеловеческая мощь его гения проявилась в живописи и скульптуре. Он был также одареннейшим поэтом и архитектором. Его скульптуры считаются верхом мастерства, особенно группа «Пьета» (снятый с креста Христос на коленях Богоматери) и фигура Давида. Роспись потолка Сикстинской капеллы «Сотворение мира» стала настоящим памятником величию человеческого гения и примером титанического труда. Это зримое доказательство высоких устремлений и великих достижений эпохи Ренессанса.)

Когда вы хотите сменить тему...

...упомяните своего любимого писателя или художника эпохи Возрождения и переведите разговор на него. (Чтобы облегчить вам задачу, советую обратиться к главе о Шекспире.)

Мудрый совет

Ренессанс — и необычайно интересный, и сложный период, но основывался он на одной простой идее о том, что отдельная человеческая личность всегда важна, в любом обществе и при любом социальном устройстве. «Что за чудо творения — человек!» — вот главный лозунг эпохи Возрождения. Если разговор вас смущает, попытайтесь воспользоваться этой мыслью. Она обязательно выведет вас из дебрей на свет.

Как произвести впечатление на окружающих своими познаниями о

РОК-Н-РОЛЛЕ

Что такое рок-н-ролл? Действительно ли это новое слово, музыка восставшей молодежи или просто цинично подсунутый ей привлекательный продукт? Рок-н-ролл существует почти полвека, и его уже невозможно выкинуть из истории музыки. Мы расскажем вам о некоторых ключевых моментах в развитии популярной культуры — самых громких, самых ярких, самых-самых... похоже, вы уже об этом забыли, если с того времени, когда вы танцевали хали-гали, твист или что-то подобное, прошел не один год.

Замечание: то, что в нашей книге мы уделили так много места рок-н-роллу, не означает, что эта тема важнее остальных. Просто она возникает гораздо чаще и ей легко взбудоражить унылую компанию.

Общий обзор

Итак, что же такое рок-н-ролл? Это современная музыка, выражающая открытый или скрытый протест. Многим его поклонникам не понравится такое определение, но все же в нем заключена суть.

В техническом смысле рок-н-ролл — это американский музыкальный гибрид, включающий в себя элементы блюза, госпела, кантри и свинга: в конце 40-х и в начале 50-х годов появилось множество местных разновидностей нового стиля. На заре своего существования рок-н-ролл подвергался всеобщему осуждению как подрывающий моральные устои молодежи, но, похоже, именно благодаря этому он приобрел неувядающую популярность, несмотря на некоторые периоды застоя, упадка и бессмысленного самопоражения.

Протест — вот ключевое слово. То, что мы называем рок-н-роллом, существенно отличается от четкого, экспансивного ритм-энд-блюза, уже завоевавшего к тому моменту свое место в музыкальной культуре. Новый стиль только начинал приобретать форму, когда белые подростки радостно восприняли то, что писалось черными музыкантами и предназначалось для черной аудитории. И благодаря этой музыке они смогли самоутвердиться, восприняв ее по-новому.

В послевоенной Америке заразительный, неприкрыто чувственный характер первых рок-н-ролльных записей нашел такой отклик среды белых подростков, что ее стало невозможно более игнорировать. Поп-артисты делали новые, более приемлемые обработки старых песен черных групп (если пуристы со мной не согласятся, тем лучше!). Звукозаписывающие фирмы научились зарабатывать на этой музыке большие деньги. Родители встревожились. А рок-н-ролл, возбуждая подростковые гормоны, начав с таких городов, как Мемфис, Новый Орлеан и Чикаго, волной победного шествия покатился по стране. Завязалась борьба за определение этой музыки: музыка безусловного протеста начала бороться за то, чтобы ее принимали все. Эта вечная борьба не прекратилась и сегодня — ведь рок-н-ролл по сути своей — это музыка взросления.

Главным недостатком этой музыки является ее однообразие. Если ее слушатели не стремятся таким образом выразить свой протест, то она очень скоро надоедает. К счастью, рок-н-ролл достаточно гибкая музыкальная форма, способная воспринять самые непредсказуемые и неожиданные новации (вспомним Мемфис начала 50-х годов, Сан-Франциско середины 60-х, Нью-Йорк конца 70-х, Сиэттл начала 90-х и бесчисленные концерты европейских групп). Рок-н-ролл всегда умеет удивить своих поклонников, хотя бы на мгновение. И в то же время он всегда остается загадкой для людей в деловых костюмах, разъезжающих на лимузинах, взирающих на мир с высоты небоскребов, для которых стабильность и предсказуемость важнее всего.

Что вы можете сказать

За пять шумных десятилетий на американской сцене рок-н-ролл пережил несколько феноменальных взлетов, обвальных падений и дал жизнь множеству замечательных музыкантов. Вот краткое резюме по каждому десятилетию, но, разумеется, это лишь основы. Возьмите из нашей статьи то, что вам понравится, и при случае вверните в разговор.

Пятидесятые. Сэм Филлипс основал в Мемфисе фирму звукозаписи «Сан-Рекордз», на которой дебютировали Элвис Пресли, Нолин Вулф, Би Би Кинг, Джонни Кэш, Джерри Ли Льюис и Айк Тернер (который впоследствии жестоко обращался со своей женой Тиной, когда та сумела превзойти его на сцене и стала одной из выдающихся певиц рок-н-ролла). Диск-жокей Аллан Фрид очаровал всех подростков своими рассказами о новой музыке, когда вел рок-концерты. Билл Хэйли доказал, что белые парни могут играть рок-н-ролл не хуже черных. Литтл Ричард, Чак Берри и Джерри Ли Льюис стали национальными героями. Короткая, но невероятно яркая карьера Бадди Холли закончилась его гибелью в авиакатастрофе вместе с Ричи Валенсом и Биг Боппером 3 февраля 1959 года. Этот день назвали «днем, когда музыка умерла». Но она не умерла.

Шестидесятые. Америку покорил твист. Чэбби Чекер стал притчей во языцех. «Девчачьи группы» («Шангри-Ла», «Ширлиз», «Кристелз» и т. д.) распевают везде и повсюду, Фил Спектор развивает свой стиль «звуковой стены». Участники группы «Бич Бойз», большинство из которых не умеет ходить на серфинге, завоевывают западное побережье яркими запоминающимися хитами. «Битлы» как вихрь промчались по Америке, оставив на память великолепные записи и толпы рыдающих поклонниц. Эти парни точно знали, что нужно делать дальше. За «битлами» «британское вторжение» продолжили «Роллинг Стоунз» и «Ху». Началось настоящее сражение. «Музыку протеста» представляет местный фолк-идол Боб Дилан. Он расширил ее узкие границы, внедрив элементы зажигательного рок-н-ролла. В это же время получает развитие психоделический рок — Джимми Хендрикс, «Джефферсон Эйрплейн» и «Грейтфул Дедс» выступают повсюду — от ночных клубов Лондона до Хайт Эшбери в Сан-Франциско.

И примерно в то же время нью-йоркский Велвет Андеграунд начинает разрушать стереотипы, несмотря на то, что это может кому-то не понравиться. Группы «Дорз» (Лос-Анджелес) и «Эм-си-5» (Детройт) собирают огромные аудитории своей энергетической музыкой. Большой рок-фестиваль в Вудстоке, штат Нью-Йорк, стал самым значительным событием того времени. (Не бойтесь сказать, что вы там были — все равно его уже почти никто не помнит.) «Роллинг Стоунз» заработали репутацию «плохих парней» рок-н-ролла после концерта в Алтамонте, штат Северная Каролина, закончившегося потасовками и полным беспорядком.

Семидесятые. «Битлз», демонстрировавшие в шестидесятых оптимизм, напористость и творческое начало, в семидесятых пришли в полный упадок. Десятилетие покатилось под уклон. За редкими исключениями («Оллман Бразерс», «Лед Зеппелин», создатель глэм-рока Дэвид Боуи, Луи Рид, «Игги-Поп» и группа Джорджа Клинтона «Парламент-Функаделик») уже к 1972 году рок-н-ролл иссяк. Несколько лет безвкусной и приторной танцевальной музыки, напомнившей о периоде «поп», предшествовавшем появлению Элвиса Пресли и «Битлз», — вот что такое начало семидесятых. Движение панков, зародившееся в Великобритании, где молодежи больше не нравилась слащавая, танцевальная музыка, в пику благопристойности породило такие британские группы, как «Секс Пистолз», «Дэмнед», «Клэш» и американские — «Рамонз», «Экс» и «Крэмпз». Однако их присутствие никак не отражалось на хит-парадах журнала «Биллборд» вплоть до восьмидесятых...

Восьмидесятые. Загадочная и необычная группа Дэвида Бирна «Токинг Хедз» снова разрешила всем танцевать. Этот период характеризуется появлением музыкальных клипов — мощного средства популяризации и пропаганды рок-н-ролла. Продолжительные концерты минувших лет (например, группы «Ху» и «Роллинг Стоунз») превратились в хорошо финансируемые и весьма прибыльные турне, призванные убедить весь мир в отличной продаваемости и популярности этой музыки. Группа «Полис», возглавляемая замечательным лириком Стингом, доказала, что можно играть энергичный, завораживающий рок-н-ролл и в то же время увлекаться прозой Владимира Набокова. Альбом «Триллер» Майкла Джексона сумел преодолеть все препятствия и стать настоящим хитом. Джексон нарушил сложившееся десятилетиями засилье белых исполнителей рок-н-ролла на видео и МТВ. Альбом Джексона был настолько вызывающим и странным, что вокруг него возникли оживленнейшие дебаты. Принц (копировавший Литтл Ричарда и Джимми Хендрикса) и Мадонна (соблазнявшая миллионы поклонников своими провокационными клипами) собирали огромные аудитории. Брюс Спрингстин, которого поклонники называли новым мессией, организует крупнобюджетные, монументальные концерты по всей стране. Ну, онто по крайней мере знал, кто такой Боб Дилан. Получают распространение городской рэп и хип-хоп. Типичными представителями этого направления становятся группы «Паблик Энеми» и «Эн Дабл-ю Эй». Множество самых разнообразных рок-групп все как одна громыхают хеви-метал до...

Девяностые. Годы сиэттлского извержения и появления группы «Нирвана», играющей в стиле «грейндж». (Вот тогда-то панки семидесятых сумели наконец преобразоваться, ухватившись за «грэйндж», и попали в заветные хит-парады!) Солист «Нирваны» Курт Кобейн прославился не только музыкой, но и пристрастием к наркотикам, которое и привело к его гибели. Вдова Кобейна, Кортни Лав, продолжила его дело и довела группу до невероятного уровня экстравагантности. В рок-н-ролле того времени стали заметны афро-азиатские (отголосок шестидесятых?) и южноамериканские влияния. В США музыкальные границы расширил Пи Джей Харви, а Аланис Морисетт внесла в эту музыку мощный сексуальный заряд. Но в то же время где-то в подворотнях и тесных гаражах кое-кто уже настраивал свои гитары, чтобы напомнить следующему поколению, что же такое настоящий рок-н-ролл.

Кроме этих сведений, вы можете потрясти воображение собеседников следующими замечаниями:

«Эта музыка обладает такой мощной энергетикой, что сердце начинает биться чаще». (Беспроигрышная фраза для любой аудитории. Если вы любите рок-н-ролл, то она будет иметь позитивный оттенок. Если не любите — негативный.)

«Хотите знать, кто был выдающимся пионером рок-н-ролла среди белых музыкантов? Конечно, Вуди Гатри». (Гатри оказал сильное воздействие на творчество Боба Дилана и косвенно повлиял на «Битлз», которые внедрили сложные аккорды в английскую музыку пятидесятых. Гатри увлекался народной музыкой скиффл.)

«Знаете ли вы, кто исполнял партию ударных в «Балладе Джона и Йоко»? (Ответ: Пол Маккартни. В то время Ринго не мог играть. Пол также исполнял партию ударных в песне «Возвращение в СССР».)

Когда вы хотите сменить тему...

...сделайте музыку громче, и пусть она говорит сама за себя.

Мудрый совет

Разговор со стареющей рок-звездой может не сложиться по следующим причинам:

- рок-звезда не хочет разговаривать с вами;
- рок-звезда мается от наркотической ломки;
- рок-звезда давно оглохла;
- рок-звезда хочет услышать от вас полезный финансовый совет, а не рассуждения о музыке протеста.

Выберите подходящую тему и смело импровизируйте... или поговорите с кем-нибудь другим.

Как произвести впечатление на окружающих своими познаниями о

РИМСКОЙ ИМПЕРИИ

«Все дороги ведут в ...» Куда? Конечно, речь идет о величайшем городе античного мира и обо всем, чем мы ему обязаны. Рим — это первый великий город, выросший из скромного поселения на семи холмах, расположенных на берегах реки Тибр. Рим стал центром гигантской империи, занимавшей несколько миллионов квадратных миль. Если вы считаете Нью-Йорк городом, который никогда не спит, почитайте заметки римского писателя Ювенала: он пишет, что знатные римляне, тогдашние «бизнесмены», «жалеют тратить время на сон», — вот вам и те, с кого берут пример нынешние обитатели Манхэттена.

Общий обзор

По легенде, Рим был основан в 753 году до нашей эры сиротами-близнецами Ромулом и Ремом на берегах реки Тибр. Легенда гласит, что братья были детьми весталки-девственницы Реи Сильвии и бога Марса. По распоряжению царя-узурпатора Амулия их бросили в Тибр. Но корзину, в которой лежали дети, вскоре прибило к берегу. Детей выкормила волчица, а потом их подобрали пастух и его жена. После воцарения на троне деда Ромула и Рема, подлинного царя страны Нумитора, близнецы вернулись на то место, где их спасла волчица, и основали там новый город.

Но вскоре ситуация осложнилась, как это всегда было в римской политике на протяжении веков. Братья поссорились, и Ромул убил Рема.

Теперь давайте отвлечемся от легенд и преданий и вернемся к историческим документам, которые гласят, что до 509 года до нашей эры Римом правили цари-иностранцы. А в 509 году была провозглашена Римская республика, и такое положение сохранялось на протяжении четырех веков. В те годы Римом правили два избранных консула — только из патрициев — и сенат. Республика не была демократией в какой-либо ее форме: современные историки и политики склонны считать, что власть принадлежала патрицианской аристократии в начале и сенатской олигархии в конце. Однако римские собрания, избранные народом, постепенно (и порой даже подло) отбирали законодательные функции у консулов. К третьему веку до нашей эры сенат возобладал, но основной движущей силой римской политики стали трения между патрицианской аристократией и плебеями. И в это время начинается восхождение Рима к власти над всем миром.

Какой-то период республике удавалось сохранять равновесие, но это продлилось недолго. Правление популярного и одаренного полководца Юлия Цезаря, которого предал его бывший союзник Помпей и который сумел невероятно расширить границы влияния Рима, стало последним этапом республики, кульминацией долгой череды диктаторов и тиранов, представлявших соперничающие политические фракции. Старая система более не удовлетворяла требованиям верхушки общества. Сенатская система не справлялась с управлением отдаленными территориями.

Цезарь попытался (и не без успеха) править посредством существующих институтов власти. В то же время его администрация, занимающая одно из самых значительных мест в римской истории и культуре, выдвинула сильного, доминирующего лидера и полностью подчинилась ему. Такое положение вещей сохранялось долгое время. Возникло то, что мы с вами называем Римской империей.

В 44 году до нашей эры Цезарь был убит. Далее последовал период политической нестабильности. К власти пришел

Второй триумвират — племянник Цезаря Октавиан (впоследствии получившего имя Август), Марк Антоний и Лепидий. (Первый триумвират — это Юлий Цезарь, Помпей и Красс. Он был образован в 60 году до нашей эры.)

Как и его предшественник, Второй триумвират просуществовал недолго. Октавиан победил войска Антония и Клеопатры в Актиуме в 31 году до нашей эры и принял титул Августа Цезаря от римского сената. Август осознавал всю непопулярность идеи монархии среди римлян. Он осторожно изменял существующие политические формы, но тем не менее установил абсолютную власть. Его часто называют первым римским императором. Август был выдающимся правителем, он искусно сочетал разумное управление провинциями и военную мощь империи. При нем была проложена разветвленная сеть дорог, связывающих столицу с отдаленными гарнизонами. Август покровительствовал художникам и писателям. Правление Августа вошло в историю под названием «римский мир» (Pax Romana). Империя и в дальнейшем находилась под властью императоров вплоть до своего падения, но ни один из них не мог сравниться с Августом.

Ко второму веку до нашей эры путем завоеваний и колонизации Римская империя расширила свои границы на три континента. Ее населяло от пятидесяти до семидесяти миллионов человек. В годы расцвета Рим контролировал всю территорию современной Италии, половину Европы, большую часть Среднего Востока и северное побережье Африки.

В 395 году нашей эры Римская империя разделилась на Западную и Восточную, причем Восточная империя получила название Византийской. Рим более не представлял собой главной политической силы в мире. В 476 году нашей эры Западная империя, ослабленная постоянными вторжениями и уже не способная управлять такой громадной территорией, подверглась вторжению германских племен, но это событие лишь подвело черту под десятилетиями политического упадка и разложения.

Древний Рим испытывал на себе мощное влияние Греции. Обе эти культуры оказали огромное влияние на развитие западной цивилизации. Культура и политические институты Римской империи нашли свое отражение в последующих веках. Их влияние заметно и в римской католической церкви, и в Конституции США. Среди наиболее значительного наследия римлян — политические институты, выдающиеся технические достижения в строительстве дорог, сооружении зданий и водопроводов, грандиозная архитектура, выдающаяся литература и язык, который явился предшественником многих современных языков, в частности романских — французского, испанского и итальянского. (Английский язык также испытал на себе мощное влияние латинского языка, но все же он не уходит своими корнями в латынь.)

Что вы можете сказать

«Современные заглавные латинские буквы совершенно такие же, как и те, которыми пользовались древние римляне». (Строчные буквы не существовали до 300 года нашей эры.)

«Выдающийся римский оратор Цицерон разработал множество приемов, которыми и сегодня пользуются адвокаты». (В частности, Цицерон подвергал свирепым нападкам противоположную сторону, чтобы отвлечь внимание от своего клиента, — разве современные защитники не пользуются теми же методами?)

«Отцы-основатели использовали устройство Римской республики для создания конституционного правительства Америки». (Идея раздельных ветвей власти, которые должны сосуществовать гармонично, а не соревноваться за первенство, явилась результатом тщательного изучения римской истории, ее сильных и слабых сторон.)

«Вас никогда не удивляло то, что римляне построили в своем городе столько фонтанов?» (Римские инженеры отлично умели прокладывать трубопровод на большие расстояния и искусно манипулировали напором воды.)

Если речь заходит о Древнем Риме, то вы должны знать самых знаменитых императоров, поскольку их имена могут часто встречаться в процессе подобной беседы. Вот несколько имен. Эти императоры правили после Августа.

ТИБЕРИЙ. Пасынок Августа, ставший его преемником в 14 году нашей эры. Он продолжил большинство дел, начатых Августом. Тиберий стал инициатором многих финансово полезных, но крайне непопулярных мер по «затягиванию поясов». В частности, он издал указ против роскоши, запретил публичные зрелища. Генерал армии Тиберия Германик Цезарь подавил военный мятеж, возникший после смерти Августа, и воевал в Германии. Хотя римские историки не благоволят Тиберию, он был весьма способным администратором и куда более стабильным и предсказуемым, чем его последователь...

КАЛИГУЛА. Его правление началось в

37 году нашей эры. Сначала императора поддерживали военные, и этот период не выделялся бы ничем особенным, если бы Калигула не вошел в историю как самый знаменитый тиран. Он был патологически жесток и психически неуравновешен. Калигула стремился к абсолютной власти и испытывал болезненную страсть к пыткам, казням и разврату. Если оставить в стороне его порочность, жестокость, манию величия и непредсказуемость поведения, то он не представлял собой практически ничего. Калигула совершенно не учитывал политических последствий своих действий. (Его попытки воздвигнуть статую самому себе в еврейском храме в Палестине привели к восстанию в Иудее.) И он действительно назначил консулом своего коня Инцитатуса. В 41 году нашей эры Калигула был убит начальником преторианской гвардии. Он правил всего четыре года. После Калигулы к власти пришел...

КЛАВДИЙ, племянник Тиберия. Клавдий был выдающимся ученым, серьезным историком и умелым правителем. Разумеется, после Калигулы любой более-менее разумный император показался бы истинным ангелом, но достижения Клавдия за годы его правления (41 — 54 годы нашей эры) трудно переоценить. За это время империя значительно расширила свои границы. Клавдий хромал и заикался, от чего страшно страдал в молодые годы. Он был отравлен (если верить римскому историку Тациту) своей четвертой женой, Агриппиной Младшей, и к власти пришел...

НЕРОН, пасынок Клавдия. Этот император по жестокости и развращенности сумел превзойти даже Калигулу. Говорят, что он убил собственную мать, Агриппину (да, да, именно ту женщину, которая отравила Клавдия), сына Клавдия Британника, двух своих жен и еще многих-многих других. В 64 году пол-Рима сгорело в гигантском пожаре. Нерон обвинил христиан в поджоге города и начал безжалостно их преследовать. Позднее он развернул не менее жестокую травлю своих политических соперников. В 68 году нашей эры произошел военный мятеж. Императору пришлось совершить самоубийство. Император высоко ценил собственные артистические способности. Его последними словами были: «Какого артиста теряет мир!»

Когда вы хотите сменить тему...

Обратите внимание на то, что уровень жизни в Древнем Риме был невероятно высок. Аристократия могла наслаждаться комфортом, пользуясь такими удобствами как водопровод с горячей водой и центральное отопление, чего на протяжении веков не знала Европа. Можете упомянуть, что римляне заботились и о двухстах тысячах бедняков, населявших город. Поинтересуйтесь, способно ли современное развитое общество соответствовать таким высоким стандартам.

Мудрый совет

Императоры, о которых мы с вами только что поговорили, были лишь первыми четырьмя наследниками Августа. Константин Великий (306—337) разделил Римскую империю и сделал христианство официальной религией; Юстиниан (правитель восточной Византийской империи, 527—565) привел в систему римское право и оказал огромное влияние на историю законодательства.

Как произвести впечатление на окружающих своими познаниями о

СКУЛЬПТУРЕ

Скульптурные формы находят в самых ранних поселениях человека. Маленькие фигурки животных, женские статуэтки, небольшие безделушки с множеством мелких деталей... Формы менялись, но скульптура оставалась одним из любимейших занятий человечества. Ребенок пытается вылепить фигурку из подручного материала, бизнесмен на совещании крутит в руках скрепку, пытаясь придать ей другую форму.

Но чем так привлекательно это занятие? И как можно поддержать разговор о скульптуре?

Общий обзор

Надо сказать, что скульптор, который работает с мрамором, сначала серьезно обдумывает свой замысел, прежде чем прикоснуться к материалу, потому что мрамор стоит дорого, и одним неосторожным движением можно испортить всю глыбу. Мастер должен хорошо представлять себе конечный результат, иначе, скажем, «Крылатая Победа» не взлетит...

Греки называли свои статуи kouroi (kouros означает «юноша»). Это были стилизованные мужские фигуры, то, что мы называем «закрытой» формой (то есть вытесанные из цельного куска камня). Греки создали этих крепких, могучих мужчин, воплотив в них свой идеал красоты. Лишь мужское тело они считали достойным изображения.

В период расцвета греческого искусства (около 600 года до нашей эры) начались различные эксперименты. Фигуры людей стали изображать в более свободных и непринужденных позах, иногда даже нарушающих законы гравитации. Некоторые детали крепились отдельно, скажем, кисть винограда в руке или метательной диск, или копье. Появилась так называемая «открытая» форма. Греки начали также ваять фигуры женщин.

Скульптуры Древней Греции внушают священный трепет и благоговение, особенно из-за того, что греки избирали для ваяния объекты, которые вызывали уважение и почтение у всех членов общества. Но в мире искусства (античном или современном) часто существует меценат, спонсор, патрон, который дает деньги на скульптуру, а взамен полагает, что неплохо было бы изобразить и его самого, если не в полный рост, так хотя бы бюст. «Послушай, парень, ты хочешь сделать скульптуру Афродиты для нашего храма? Отлично! А почему бы тебе не сделать и мою статую, ведь это я даю тебе деньги. Полагаю, она отлично будет там смотреться!»

В средние века основным заказчиком стала церковь. Скульптор в те времена должен был уметь изображать святых и ангелов. Этот стиль получил название готического. Статуи стоят совершенно неподвижно. Их поза статична, и тем не менее она обладает внутренней силой, которая чувствуется даже в крохотной горгулье на водосточной трубе (довольно языческий образ, надо сказать). Когда строились готические соборы, мастерам работы хватало. Большинство декоративных скульптур в те времена выполнялось в технике барельефа — изображение вырезалось на стене или иной плоской поверхности, придавая ей иллюзию глубины. Скульпторы часто делали эти барельефы очень детальными, чтобы показать заказчику, что он не зря потратил деньги. «О'кей, Джузеппе, сделай-ка нам что-нибудь вон на том пустом месте, над дверью, сразу за контрфорсом».

В те годы работало очень много выдающихся скульпторов, принадлежащих к разным школам и направлениям, — Донателло, Лоренцо Гиберти, Микеланджело Буонаротти. Особого расцвета искусство ваяния достигло в эпоху Ренессанса во Флоренции. Знаменитый «Давид» Микеланджело считается вершиной скульптуры того времени. Позже знаменитый архитектор и скульптор Джованни Лоренцо Бернини, выдающаяся фигура периода итальянского барокко, изваял множество скульптур, отличающихся высоким техническим мастерством и драматизмом. Чаще всего художники избирали религиозные темы.

Светское же искусство расцветало под покровительством царствующих домов в других областях Европы, особенно во Франции, в XVI и XVII веках. Оказалось, что художники только и мечтали, чтобы открыть новые темы, освободиться от сковывающего влияния церкви. В этот период возникает бесчисленное множество школ, движений и направлений.

В XX веке — как будто ему не хватало сложностей! — возникает школа дадаизма во главе с Марселем Дюшаном. «Дада» — это бессмысленное слово, изобретенное Дюшаном и его друзьями. Так они обычно отвечали, когда их спрашивали: «Что такое искусство?» — и другие подобные провокационные вопросы. Дюшану казалось забавным выставить писсуар на большой выставке, назвав скульптуру «Фонтан». Приверженцы этого течения бросали вызов общественному мнению, разрушали стереотипы и привычную логику вещей. Позже Марсель Дюшан устроит выставку, на которой покажет машины, неизвестно для чего предназначенные. Большая часть скульптур XX века — с их сложной формой и непонятным предназначением, с их отступнической чувствительностью и неуловимой эмоциональной привлекательностью — возникла именно под влиянием Дюшана и его друзей-дадаистов. Легко могу представить их в современном музее, стоящими вокруг автомата с газировкой и объявляющими его главной достопримечательностью выставки.

В наши дни известный скульптор Кристо явно следует по пути Дюшана, трансформируя повседневные предметы и придавая им символическое значение. Он начал с «малого» — с мотоциклов, затем перешел на целые здания и в конце концов приобрел 24-мильный кусок Калифорнии, чтобы воздвигнуть там временный белый «бегущий забор» — широкомасштабную и по-своему прекрасную инсталляцию, которая еще раз разрушила наши представления о том, что доступно и что недоступно скульптуре.

Что вы можете сказать

Все зависит от того, о какой скульптуре пойдет речь — классической или современной.

«От греческой скульптуры, как и от грандиозных фигур Микеланджело, исходит что-то магическое, мы можем явственно представить их живыми». (Вы можете соглашаться или не соглашаться с подобной точкой зрения. Если вы ее разделяете, то продолжайте...)

«Может ли статуя существовать одновременно в трех измерениях?» (Большинство из вас согласится, что так и должно быть, человек, стоя напротив скульптуры, видит только одну ее сторону. Поэтому некоторым образом объекты существуют и в четвертом измерении — во времени. Так зритель, обходя статую и рассматривая ее со всех сторон, перемещается не только в пространстве, но и во времени.)

«Разве кинетические работы не предполагают равновесия, ощущения урегулированности и цельности, на что мы не можем рассчитывать от современной жизни?» (Одно из основных направлений в скульптуре XX века предполагает использование деталей, которые приходят в движение по воле зрителя или запускаются автоматически. Александр Калдер — наиболее известный кинетический скульптор современности.)

Когда вы хотите сменить тему...

...выскажите мнение о том, что возможности скульптора существенно ограничены возможностями выбранного материала. Если вы проявите должную настойчивость, то беседа с легкостью может перейти на общие духовные ценности.

Мудрый совет

Неплохо было бы освежить свои знания, посетив какой-нибудь музей. Смотри также совет в главе, посвященной живописи.

Как произвести впечатление на окружающих своими познаниями о

ШЕКСПИРЕ

Скажите-ка, хорошо ли вы учились в школе? Помните старика Шекспира? Вот вам некоторые советы, которым вы можете следовать, если речь зайдет о великом барде. Не сомневаюсь, что глубина ваших знаний потрясет собеседников.

Общий обзор

Вильям Шекспир (1564—1616) считается величайшим драматургом мира. Его пьесы были невероятно популярны в елизаветинской Англии и во времена короля Якова. Интерес к ним не утрачен и четыре с лишним столетия спустя, несмотря на то, что английский язык претерпел серьезные изменения с тех времен и сегодня некоторые фразы великого барда кажутся довольно архаичными. (Однако: если произнести их вслух, они становятся совершенно понятными. Особенно если вы сделаете это с должным чувством!)

А теперь давайте поговорим об основных шекспировских пьесах и героях.

сомнению, иначе его пьесы не пережили бы века. Но любой, кто будет утверждать, что каждое слово, написанное Шекспиром, — это божественное откровение, наверняка не читал «Короля Джона», «Двух веронцев» или «Тимона Афинского».

В большинстве своем люди не интересуются теми пьесами Шекспира (следует признать, что таких пьес немного), где налицо проблемы сюжета и построения. Естественно, мы отбираем лучшее — лучшие строки, лучшие характеры, лучшие пьесы. И в творчестве Шекспира нет недостатка в этих бриллиантах. Почему они так трогают нас? Десятки тысяч критиков предложат вам десятки тысяч своих версий. С моей точки зрения, все это можно изложить в трех предложениях. Готовы?

Пьесы Шекспира трогают публику во всем мире на протяжении многих веков, потому что он, особенно в лучших своих произведениях, никогда не принимает чью-нибудь сторону. Его гений не в языке, хотя стихи его прекрасны, не в способности увлечь зрителей сюжетом, хотя и это ему удавалось, как никому другому, но в том, что мы всегда становились на его сторону. Шекспир использует людей, чтобы показать свою точку зрения, и он настолько убедителен, что кажется нам оригинальным, хотя его идеи — это вечные ценности человечества.

Что вы можете сказать

РОМЕО И ДЖУЛЬЕТТА

Знаменитая строка: «Что значит имя? Разве роза, когда мы назовем ее иначе, свой аромат божественный утратит?»

Современная попытка дать иное название: «Запретная любовь и ее последствия». (Можете напомнить, что знаменитый бродвейский мюзикл «Вестсайдская история» основан на сюжете пьесы Шекспира.)

«Трагедия так сильно воздействует на зрителя, потому что связана с темой юношеской любви».

СОН В ЛЕТНЮЮ НОЧЬ

Знаменитая фраза: «Лунатик, влюбленный, поэт — все это лишь плоды воображенья».

Современная попытка дать иное название: «Любовники запутались, а высшие силы все расставили по своим местам».

«В этой пьесе, как и в «Буре», присутствуют существа из иных миров, которые направляют действия людей в сложные моменты их жизни».

МНОГО ШУМА ИЗ НИЧЕГО

Знаменитая фраза: «Когда я говорил, что хотел бы умереть бакалавром, я не имел в виду, что должен жить до тех пор, пока не женюсь».

Современная попытка дать иное название: «Мальчики остаются мальчиками, а девочки всегда хотят выйти за них замуж».

«Гораздо лучше в этой истории запоминаются отношения между Беатриче и Бенедиктом, а не зловещий заговор против невинной Геро. Может быть, это происходит просто из-за того, что нам так хочется?»

ГЕНРИХ V

Знаменитая фраза: «Друзья, вперед, на приступ!»

Современная попытка дать иное название: «Как справиться с предателями, выиграть войну, получить девушку и улучшить свой французский».

«Попытки Генриха в последнем акте завоевать французскую принцессу Екатерину, покорив ее знанием ее родного языка, показывает, что этот смелый завоеватель и полководец готов даже выглядеть глупцом, лишь бы добиться своей цели».

ГАМЛЕТ

Знаменитая строка: «Прогнило что-то в Датском королевстве».

Современная попытка дать иное название: «Никогда не делай сегодня то, что можно отложить на завтра».

«В этой пьесе герой проходит через испытания, раздумывает, медлит... она длится более четырех часов, а развязка не наступает вплоть до самого последнего момента».

МАКБЕТ

Знаменитая строка: «Прочь, прочь, проклятое пятно!»

Современная попытка дать иное название: «Стремительная карьера может закончиться полным провалом».

«Убив короля, Макбет совершил преступление и знает это. Шекспир заставляет его платить не только своей жизнью, но еще и полным разрушением личности».

Если вы хотите сменить тему...

...упомяните о том, что Шекспир был прагматичным сыном своего времени — и главным образом, популярным и «раскрученным» драматургом. Скажите о том, о чем всегда забывают его поклонники: разве не напоминает первый опыт Шекспира («Тит Андроник») сюжет обычного гангстерского фильма? А потом переведите разговор на современный театр или кино. И вот вы уже стоите на надежной почве.

Мудрый совет

Совершенно не сомневаюсь, что вам придется встретиться с человеком, который будет утверждать, что знаменитые пьесы написаны совсем не Шекспиром. Если вы окажетесь втянутым в подобную беседу, у вас есть два варианта действий. Вы можете сказать, что большинство уважаемых ученых на основании многих свидетельств пришли к выводу об абсолютной безосновательности подобных теорий. Это правда, но подобное высказывание вряд ли удовлетворит вашего собеседника. Если вы не хотите ввязываться в долгий и бесплодный спор (и я не буду винить вас за это), можете выбрать второй вариант действий. Просто улыбнитесь, скажите, что это сложная проблема, и оставьте вопрос открытым, сказав: «Эти пьесы велики вне зависимости от того, кто их написал». Что избавит вас от рассуждений о Фрэнсисе Бэконе, королеве Елизавете, графе Оксфордском и Ли Харви Освальде.

Как произвести впечатление на окружающих своими познаниями о

СОЛНЕЧНОЙ СИСТЕМЕ И ВСЕЛЕННОЙ В ЦЕЛОМ

На протяжении своего существования человечество имело совершенно различные представления о том, как образовалась вселенная, по каким законам она живет и какое место занимает в грандиозном (я подчеркиваю, именно ГРАНДИОЗНОМ) космосе. Не все из этих представлений соответствовали истине. Только в XX или в конце XIX века человечество начало приближаться к познанию физической структуры космоса.

Существовало огромное множество теорий относительно того, как возникла вселенная. Большинство из них ставили наш мир в центр мироздания. Древние греки считали, что вокруг Земли вращаются несколько хрустальных сфер, в одной из которых находится Луна. Звезды же, по их мнению, располагались в самой дальней сфере. Просто, правда?

Это поэтическое представление просуществовало вплоть до средних веков. В 1500 году Николай Коперник, выдающийся польский астроном, сформулировал гелиоцентрическую (буквально «солнцецентрическую») теорию движения планет, — первым из европейцев. Но Коперник совершил ошибку, предположив, что планеты движутся по правильному кругу, что привело к неразрешимым математическим проблемам. Многие считали эту теорию противоречащей здравому смыслу. Солнце остается неподвижным? Что за глупость! Всякий может видеть, как оно каждый день движется по небу.

В XVII веке итальянский ученый Галилео Галилей воспользовался телескопом для наблюдения за крупными небесными телами и сделал массу интересных открытий, которые здорово пошатнули теорию сфер внутри сферы. Вот, например, Млечный Путь. К удивлению ученых, он оказался не сплошной «лентой» некоего вещества, а скоплением тысяч и тысяч звезд. Люди без помощи специальных приспособлений не могли их видеть и уж тем более сосчитать. И тогда возник вопрос: а что, если некоторые звезды находятся дальше, чем остальные? Что, если модель сфер совершенно неправильна — ведь она не объясняет того, что можно увидеть собственными глазами с помощью телескопа?

Подобные идеи не могли вызвать одобрения со стороны церкви. Галилей подвергся преследованию. И тогда он произнес свою знаменитую фразу о вращении

Земли вокруг Солнца. (Коперник уже создал гелиоцентрическую систему, но кто о ней знал?) Галилей открыл людям дверь к исследованию открытого космоса, окружающего наш мир. Он положил начало череде вопросов, которые на протяжении десятилетий и веков ставили перед собой ученые, когда борьба Галилея с отцами церкви уже ушла в прошлое. Наука не стоит на месте. И очень скоро возник вопрос: а что, если Млечный Путь не просто беспорядочное скопление звезд, а группа звезд, к которой принадлежит и наша солнечная система, если смотреть изнутри?

В начале XX века телескопы подтвердили существование миллионов звезд и других галактик далеко от Млечного Пути — и ученые наконец получили представление о размерах и физической сложности вселенной.

Общий обзор

Ниже мы приводим некоторые наиболее часто употребляемые термины и понятия, с которыми вам предстоит столкнуться, если речь зайдет о тех бескрайних просторах, что существуют вокруг нашей планеты.

Большой взрыв. Это наиболее широко распространенная теория возникновения вселенной. Она основывается на том, что первоначально вселенная была чем-то цельным, но затем произошел грандиозный взрыв, который разметал космические тела по огромному пространству. Этот процесс еще называют феноменом расширяющейся вселенной, и он подтвержден научными наблюдениями. Существует множество подтверждений истинности теории Большого Взрыва: радиация в космосе существует практически повсеместно, и характеристики этого излучения говорят о том, что его источником послужил мощный взрыв, исходящий из точки бесконечной плотности, называемой сингулярностью.

Двойная звезда. Почти половина звезд, которые мы видим, на самом деле являются парой звезд, находящихся на одной и той же орбите. Ученые смогли разглядеть их при помощи мощных телескопов, но чаще определяли это в результате математических расчетов гравитационного влияния более тусклой звезды на более яркую, которую можно было наблюдать.

Черная дыра. Название широко распространенное, но мало кто понимает, что это такое на самом деле. Черная дыра — это космическое тело, обладающее столь большой массой при относительно небольшом размере, что ничто — включая и свет — не в силах противиться его гравитации. И в результате возникает звезда фантастической плотности. (Представьте себе Солнце, помещенное в обычный стакан). Существование таких тел теоретически было доказано еще в XVIII веке. Астрономы просто не могли иным образом объяснить многие небесные явления. Из-за того, что черную дыру нельзя наблюдать, ее существование определяется по воздействию на другие небесные тела. Черные дыры считают центрами множества галактик. Одной из таких галактик является и наш Млечный Путь. В последнее время некоторые ученые утверждают, что существование черных дыр полностью доказано.

Карлики. Это маленькие звезды (конечно, относительно), они бывают разных цветов. Самые яркие карлики — белые, самые тусклые — коричневые. Белые карлики — это звезды, которые подверглись коллапсу и чьи атомы плотно сжаты. Чайная ложка материи белого карлика должна весить больше пяти тонн. Мы, крошечные создания, считаем, что наше Солнце (тоже звезда) очень велико. Но, по правде говоря, это всего лишь средняя по размерам звезда. (См. ниже *Гиганты*).

Галактики. Это огромные системы, состоящие из громадного скопления звезд. Они отделены друг от друга... ничем! В XVIII веке астроном Вильям Гершель определил, что туманности между звездами на самом деле являются огромными системами, содержащими миллиарды и миллиарды звезд. Эти системы только казались туманной областью между знакомыми человечеству звездами, утверждал Гершель, потому что они находятся на громадном расстоянии от Земли. Мощные телескопы подтвердили правоту астронома. Туманные скопления, которые он наблюдал, получили название галактик, хотя, сознавая всю важность открытия ученого, было бы справедливее назвать их гершелями, но я отвлекся. Галактика, в которою входит и наше Солнце, это Млечный Путь. Так ее назвали астрономы. Но не все галактики походят одна на другую. Современные астрономы, оборудованию которых мог бы только позавидовать Гершель, выяснили, что галактики бывают трех видов — спиральные, эллиптические и неправильные. Средняя спиральная галактика (подобная Млечному Пути) выглядит как плоский диск с утолщенным центром, или ядром, в середине, где находятся старые звезды, а более молодые звезды вращаются вокруг этого центра по спирали. Эллиптические галактики (среди которых есть и очень крупные) напоминают этот самый центр спиральной галактики: никаких ответвлений. Неправильные галактики не имеют строго определенной структуры.

Гиганты. Это очень, очень, очень большие звезды. Красные гиганты — это звезды, в которых идет термоядерная реакция, благодаря чему они становятся все больше и больше. Реакция, идущая внутри такой звезды, выделяет энергию, что увеличивает содержание гелия и водорода вне центра звезды. Поскольку внешний (видимый) слой звезды относительно холодный, он имеет красный цвет — цвет раскаленного металла. Если вы хотите узнать, какова же дальнейшая судьба нашей планеты, то можете не гадать. Солнце останется в своем сегодняшнем состоянии еще около пяти миллиардов лет (чтобы быть более точным — четыре с половиной миллиарда лет). Затем оно превратится в красного гиганта, расширится до орбит Венеры и Меркурия. И тогда поджарит нашу старушку-Землю. Что за чудный выдастся денек!

Световой год. Это расстояние, которое свет проходит за год. Если вам хочется знать более точно, оно составляет 5878 миллиардов миль.

Туманности. Неясные, смутные, туманные области, наблюдаемые в космосе, скопление межзвездного газа и пыли. Туманности не являются скоплением звезд — в 60-е годы XX века ученые пришли к такому выводу на основе наблюдений. Тем не менее многие люди по-прежнему считают громадную Туманность Андромеды созвездием, поскольку она является самым удаленным небесным объектом, видимым невооруженным глазом. Существуют яркие и темные туманности. Астрономы полагают, что темные, более плотные туманности, называемые глобулами, на самом деле являются звездами в процессе рождения. Планетарные туманности, имеющие четкие края и напоминающие небольшие диски, — это умирающие звезды на последней стадии своего развития.

Новые звезды. Это звезды, которые появились из ниоткуда. В этом процессе нет ничего необычного, просто темная звезда становится ярче, и мы можем ее наблюдать — поэтому и называем новой. Сверхновая — гигантская звезда, движущаяся к финальной стадии своего развития — к взрыву, и, как следствие, повышается ее яркость. Сверхновая — это глобальный катаклизм, самое значительное астрономическое событие, которое можно наблюдать. Другие новые звезды являются результатом соединения двух парных звезд в одну, что тоже делает ее яркой.

Планеты. Планеты — это небесные тела, движущиеся по орбите вокруг звезд, но не излучающие собственного света. Вокруг нашего Солнца вращается девять крупных планет. Те из них, что расположены ближе к Солнцу, — каменистые, плотные, наиболее же удаленные — жидкие или газообразные. Что вы хотите спросить? Вы плохо учились в школе и не помните названий всех планет солнечной системы? Расслабьтесь. Я здесь для того, чтобы помочь вам. Наше Солнце находится в центре — в противном случае все муки Галилея были бы напрасными. Ближе всего к нему расположен Меркурий, чуть дальше Венера, затем Земля, потом Марс, за Марсом — Юпитер, потом Сатурн, Уран, Нептун и Плутон. Орбиты планет не являются точными кругами, чему бы вас ни учили в четвертом классе. Девять названных мной планет являются самыми крупными. Помимо них, существует еще множество астероидов, которые тоже называют планетами, правда, малыми. Между Марсом и Юпитером пролегает целый пояс астероидов.

Что вы можете сказать

«Мы исходим, разумеется, из предположения, что Земля имеет тот же возраст, что и Солнце». Это предположение было взято на вооружение учеными, исследующими причины и время возникновения нашей планеты. Современная теория сводится примерно к следующему. Солнце конденсировалось из огромного облака межзвездного газа. Когда оно сформировалось, небольшой сгусток материи, состоящий из жидкости, твердых обломков и газа, стал вращаться вокруг нового небесного тела. Затем он разделился на части, из которых и образовались Земля и восемь остальных планет. Более крупные формации наращивали массу, возникала сила притяжения, которая притягивала к новообразованию дополнительную материю. Представьте себе, как пыль собирается в комки, и вы поймете, как образовывались наши планеты. Некоторые части материи остались в космосе и превратились в то, что мы теперь называем метеоритами. Сегодня принято считать, что наша солнечная система возникла примерно 4,6 миллиарда лет назад.

«Вселенная, — можете вы добавить, — в четыре или пять раз старше нашей системы». Современные ученые утверждают, что вселенная возникла пятнадцать-двадцать миллиардов лет назад. Этот возраст они определили, рассчитывая скорость расширения и исходя из теории Большого Взрыва. Поделив размер галактики на скорость, с которой она движется, вы получите достаточно точный возраст вселенной. (Современные исследования ставят вопрос о скорости расширения вселенной. Я не советую вам говорить на эту тему.)

Если хотите произвести особенное впечатление на собеседников, попробуйте сказать что-то вроде: «Я не могу дождаться следующей сизигии — а вы?» Сначала запомните это загадочное словечко, а что оно значит, я вам сейчас расскажу. Это соединение трех небесных тел. Если вы когда-нибудь наблюдали затмение, значит, были свидетелями сизигии. (Три небесных тела, конечно, Солнце, Луна и Земля.) Отличное слово, чтобы заставить собеседников взбодриться во время довольно скучной беседы. Не правда ли? Я лично считаю, что ученые изобретают разные словечки вроде этого для того, чтобы ставить на место зарвавшихся непрофессионалов.

Когда вы хотите сменить тему...

...скажите, что все эти невообразимые расстояния и промежутки времени совершенно не подвластны пониманию простого смертного. К чему вести бесплодные разговоры? Мы с вами живем здесь и сейчас. Так почему же не насладиться этим кратким мигом? (После такого выступления вполне логично попросить еще мартини или сменить кассету в магнитофоне, музыкальном автомате или сделать еще что-нибудь в этом духе.)

Мудрый совет

Осторожнее! Обсуждение структуры солнечной системы может потребовать от вас знания сравнительных размеров планет, вращающихся вокруг Солнца. Перечисляю вам их, на всякий случай, начиная с самой большой: Юпитер, Сатурн, Уран, Нептун, Земля, Венера, Марс, Меркурий и Плутон. Юпитер и Сатурн — это настоящие гиганты. В диаметре они составляют соответственно 142 984 и 120 536 километров. Диаметр Земли — одна десятая диаметра Юпитера, а Плутона — всего одна шестая диаметра Земли. А если кто-нибудь начнет приставать к вам с разговорами о Солнце, сообщите ему, что диаметр Солнца — 1 392 000 километров, что в десять раз превышает диаметр Юпитера!

Как произвести впечатление на окружающих своими познаниями об

АМЕРИКАНСКОЙ КОНСТИТУЦИИ И О ВЕРХОВНОМ СУДЕ США

Конституция США — это документ, о котором любят говорить все, — но мало кто удосужился прочесть. В любой библиотеке вы можете найти ее текст, но стоит ли читать так много слов, которые следуют за знаменитым: «Мы, народ...»? Мы постарались вкратце изложить для вас этот выдающийся политический документ, его наиболее значительные моменты, и показать, как он менялся на протяжении веков.

Общий обзор

Прежде всего нужно понимать, каким образом восставшие американские штаты сумели объединиться, чтобы противостоять британскому господству во время Войны за независимость. Вы можете даже сказать, что бывшие колонии в этот период вообще не устанавливали принципов объединения, для начала они написали «Статьи Конфедерации» (1781). По этому документу «конфедерации» доверялась только власть в тех областях, в которых сами колонии были несильны — в частности, сбор налогов оставался за каждым отдельным штатом. Прагматичная группировка, которая стала известна под названием «Соединенные Штаты Америки, собранные в Конгресс», скорее напоминала союз правительств, имеющих общие интересы, а не единую нацию, обладающую суверенитетом. О статусе центрального правительства в доконституционный период говорит тот факт, что Канада была приглашена вступить в Союз, но не приняла этого предложения. Название «Соединенные Штаты» всегда употребляется во множественном числе, и эта ситуация сохранилась по сей день.

После победы над англичанами проблемы федерального устройства стали предметом ожесточенных споров и обсуждений. Континентальный Конгресс отклонил предложение возглавить реформы и предпочел остаться собранием представителей штатов. Представители отдельных штатов в 1786 году съехались в Аннаполис, чтобы обсудить перспективы усиления федерального правительства. Один из присутствовавших, Александр Гамильтон, долгое время поддерживавший идею сильной власти, предложил собраться в Филадельфии в мае 1787 года для того, чтобы «принять Конституцию федерального правительства, отвечающую потребностям союза». Конгресс проголосовал «за», сам Гамильтон был избран делегатом на эту встречу, на которой присутствовали представители от всех штатов за исключением Род-Айленда.

Новая Конституция была вчерне принята в 1787 году, ратифицирована в 1788-м и вступила в действие с 4 марта 1789 года. Понятно, что все тринадцать бывших колоний ратифицировали текст Конституции. Но что значит — ратифицирована? Что сделали делегаты, присутствовавшие на Конституционном съезде? Они утвердили гибкий, полный компромиссов и зачастую довольно расплывчатый документ, который в семи статьях сформулировал основной закон Соединенных Штатов и декларировал главенство федерального правительства. Хотя центральное правительство оказалось не таким мощным, как предлагал Гамильтон, тем не менее оно обладало достаточно большой властью и значительно большими полномочиями, чем у его предшественника. Центральную власть поделили на три ветви: законодательную (Конгресс), исполнительную (президент) и юридическую (суды). Все они обязаны были контролировать друг друга. Чтобы придать открытость этому довольно короткому документу, разработали механизм изменения Конституции путем внесения поправок, которые должны быть ратифицированы не менее чем тремя четвертями штатов, входящих в союз.

И первые важные поправки не заставили себя долго ждать. Чтобы ограничить власть центрального правительства, в 1791 году были одобрены десять поправок к Конституции. Они получили известность под названием «Билль о правах». Эти поправки защищали свободу вероисповедания, свободу слова и печати, свободу собраний и право обращаться с петициями к правительству (Первая поправка); право на хранение и ношение оружия (Вторая поправка); право граждан не размещать в своем доме солдат в военное время, если они того не хотят (Третья поправка); право на неприкосновенность личности, имущества и жилища от необоснованных обысков и арестов (Четвертая поправка); право на защиту жизни, имущества и свободы без надлежащей правовой процедуры (Пятая поправка); право на безотлагательное судебное рассмотрение и помощь адвоката (Шестая поправка); право на рассмотрение дела судом присяжных (Седьмая поправка); свободу от чрезмерных залогов, штрафов и жестоких, а также необычных наказаний (Восьмая поправка); гарантии прав и свобод народа и штатов (Девятая и Десятая поправки).

Но подождите минутку! Их же гораздо

больше, чем десять! Действительно, государство развивалось, появлялись и новые поправки. Наиболее важные — Тринадцатая, Четырнадцатая и Пятнадцатая, которые запретили рабство, гарантировали гражданские права всем без исключения и отменили расовые ограничения при голосовании. Шестнадцатая поправка установила право государства собирать подоходный налог (вот откуда взялось Налоговое управление США — служба, которой я, как и многие другие американцы, всегда побаиваюсь и опасаюсь). Восемнадцатая и Двадцать Вторая поправки были приняты в 1919 году и отменены в 1933 году. Они касались запрета на употребление алкогольных напитков. А Девятнадцатая поправка предоставила избирательные права женщинам.

Что вы можете сказать

На случай, если речь зайдет о Конституции, советую вам запомнить четыре или пять основных дел, рассмотренных Верховным судом за время его существования. Предлагаю несколько разумных замечаний, связанных с подлинными юридическими бестселлерами.

«Люди часто забывают, что в Конституции не содержится прямого указания на Верховный суд как единственную и последнюю инстанцию в рассмотрении конституционных споров. Таковым он стал только после рассмотрения дела «Марбери против Мэдисона». (Это историческое решение было принято в 1803 году и заложило основу судебного признания конституционности законов. По этому решению Верховный суд имеет право признать действия Конгресса неконституционными и отменить их.)

«Последнее средство исправления любых ошибок Верховным судом — это, конечно, принятие поправок к Конституции. Когда возникают дела вроде «Дред Скотт против Сэнфорда», единственное, что может их разрешить, — это только Четырнадцатая поправка». (Дело «Дред Скотт против Сэнфорда» часто называют «позорным» в практике Верховного суда. Решение суда возвращалось к «Миссурийскому компромиссу», который к тому времени уже отменили, основываясь на том, что Конгресс лишил рабовладельцев их собственности — рабов — без должной юридической процедуры. Дело Скотта выявило точку зрения Верховного суда, что рабы не являются гражданами Соединенных Штатов или гражданами какого-либо отдельного штата. Четырнадцатая поправка, ратифицированная в 1868 году, провозгласила, что «любой человек, рожденный или натурализованный в США... является гражданином Соединенных Штатов и того штата, где он проживает».)

«Только дело «Гитлоу против штата Нью-Йорк» заставило правительство штатов соблюдать Билль о правах». (Значительное дело 1925 года было первым из тех, которые заставили признать обязательность Билля о правах для всех штатов и невозможность его пересмотра на основании Четырнадцатой поправки. В данном случае речь шла о свободе слова и свободе печати — правительство штата не имело права ограничивать эту свободу, основываясь на Четырнадцатой поправке.)

«Такие важные дела, как дело «Браун против Совета по образованию Топики, штат Канзас», ограничили действия правительства, проводящего в жизнь доктрину «разделенные, но равные», указав на ее неконституционность». (Историческое решение Верховного суда, вынесенное в 1954 году, которое де-юре запретило дискриминационную политику штатов и местных властей, направленную на неравенство школьников, относящихся к разным расам, что прямо нарушало Четырнадцатую поправку. Следом за этим решением последовали другие, направленные на десегрегацию образования и прочих видов общественной жизни.)

«Иногда решения Верховного Суда настолько противоречивы, что их можно истолковать и так и эдак. Дело Бэкки — самый знаменитый пример подобной двойственности». (Речь идет о деле 1978 года «Регенты Университета Калифорнии против Аллана Бэкки». Суд признал, что практика закрепления определенного количества мест для национальных меньшинств является нарушением закона, но в то же время подтвердил конституционность решения, по которому расовая принадлежность студента являлась одним из критериев приема.)

Когда вы хотите сменить тему...

...можете просто подчеркнуть гибкость и приспосабливаемость конституционной системы — и плавно выйти из опасных вод, в которых вы не чувствуете себя уверенно. Можем предложить вам воспользоваться фразой типа:

«Если страна может пройти через кризис, подобный кризису времен дела «Соединенные Штаты против Никсона», то она способна справиться с любой ситуацией». (В 1974 году с невероятной скоростью было рассмотрено дело, в котором государство выступало против президента. Верховный суд принял решение о том, что президент не имеет права на конфиденциальность бесед с сотрудниками аппарата, если они причастны к рассматриваемому уголовному делу. Администрация Никсона заявляла, что принцип разделения конституционной власти защищает право президента на конфиденциальность бесед с сотрудниками. Обсуждение доказательств в деле Никсона привело к самому значительному конституционному кризису в истории Соединенных Штатов. Отставка Никсона в связи с очевидным осуждением его действий в процессе процедуры импичмента, объявленной Конгрессом, часто рассматривается как подтверждение работоспособности конституционной системы Соединенных Штатов.

Мудрый совет

На протяжении многих лет толкование Конституции периодически привлекает к себе внимание общественности. Даже совершенно ясные и недвусмысленные судебные решения дают толчок к новому толкованию и внесению поправок. И самые незначительные расхождения во взглядах десятилетия спустя могут стать основой новых важных принципов.

С течением времени выработалось два основных подхода к Конституции. Первый, примером которого является Эрл Уоррен (председатель Верховного суда в 1953—1969 годах), называют конструктивным или активным. Этот подход связывается с идеей о том, что современные ценности общества в сочетании с личностными ценностями могут сыграть законодательную роль в определении решения, выносимого судом. Противоположная ей юридическая школа, называемая ограниченной, считает, что суды в целом и Верховный суд в частности должны быть ограничены текстом и идеями создателей Конституции.

Любое обсуждение конституционного порядка обязательно приведет вас к тому или иному подходу. Скорее всего вам предстоит услышать от собеседника обе точки зрения. Разумнее сказать, что Конституции нужны оба подхода и что каждый из них имеет право на существование.

Как произвести впечатление на окружающих своими познаниями о

ДЗЕН-БУДДИЗМЕ

Мы решили завершить свою книгу самым хитроумным и загадочным предметом. Писать о дзен-буддизме гораздо сложнее, чем о любой другой религии, так как дзен отказывается от попыток аналитически познать божество и считает, что язык общения (эти маленькие буковки, которые я так ловко отстукиваю на своем компьютере) является барьером на пути открытого, непосредственного познания жизни. Зачем тогда вообще об этом писать? Однако чем яростнее дзен-буддизм отвергает вербальное описание своей сущности, тем больше людей эта религия привлекает. И вполне возможно, что вы встретите человека, который захочет поболтать об этом невероятно популярном течении в буддизме.

Мы хотим добавить еще пару слов к той огромной массе литературы, что написана об этой религии, отвергающей письменное слово. Вы можете почитать их, а затем... впрочем, сами поймете, как вам поступить.

Основные сведения

Дзен — это течение в буддизме, возникшее в Китае на рубеже V века нашей эры. Оттуда оно переместилось в Японию, где основной практикой этой религии стали длительные медитации, непосредственное личное ощущение реальности и абсолютная сосредоточенность на любом повседневном действии. На протяжении веков религия дзен культивировалась в Японии и оказала мощное воздействие на искусство каллиграфии и единоборства. Но гораздо больше она могла влиять на самого человека, полностью погружая его в себя и в свои поступки — какими бы малозначительными они ему ни казались.

Само слово «дзен» происходит из санскрита. Оно означает медитацию, а ведь это именно то, чем занимаются ее приверженцы. Последователи дзен-буддизма считают записанные тексты, многочасовые проповеди и рассуждения и следование формальной догме вредными и даже опасными. Поэтому они полагаются лишь на те средства, которые помогают им достичь более высокого уровня сознания, постичь природу Будды и слиться с божеством. К ним относится не только медитация, но и знаменитые «коаны» — парадоксальные вопросы (например: «Что такое звук хлопка?»), которые призваны помочь человеку освободиться от неправильных, вторичных представлений и заключений. Те, кто практикует дзен, обычно избирают для себя учителя, задача которого — помочь ученику избавиться от заблуждений и постичь самого себя.

Наиболее значительные фигуры в истории дзен-буддизма — Третий Патриарх, Сенг-цан, при котором дзен впитал в себя многие аспекты даосизма (религии, глубоко почитающей природу), а также Шестой Патриарх, Хуи-Ненг, в основном сконцентрировавшийся на открытии истинной сущности и разума человека.

Что вы можете сказать

Что бы вы ни говорили, не пытайтесь забираться в дебри. Можете сказать что-нибудь вроде: «Насколько я себе представляю, основной принцип дзен-буддизма заключен в том, чтобы полностью, на все сто процентов погружаться в процесс, который совершается в данный момент, будь то глубокая медитация или обычные повседневные действия. Например, разговор с вами».

Когда вы хотите сменить тему...

... просто меняйте тему.

Мудрый совет

Мудрецу не нужно много слов.

Лесли Гамильтон
Брендон Торопов
ИСКУССТВО РАЗГОВОРА НА ЛЮБУЮ ТЕМУ

Редактор *Е. Басова*
Технический редактор *О. Куликова*
Компьютерная верстка *И. Ковалева*
Корректор *Н. Кирилина*

Налоговая льгота — общероссийский классификатор продукции ОК-005-93, том 2; 953000 — книги, брошюры

Подписано в печать с готовых диапозитивов 21.12.2000.
Формат 84х90 1/32. Гарнитура «Таймс».
Печать офсетная. Усл. печ. л. 12,6.
Тираж 10 000 экз. Зак. № 2842.

ЗАО «Издательство «ЭКСМО-Пресс»
Изд. лиц. № 065377 от 22.08.97.
125190, Москва, Ленинградский проспект, д. 80,
корп. 16, подъезд 3.
Интернет/Home page — www.eksmo.ru
Электронная почта (E-mail) — info@ eksmo.ru

Книга — почтой:
Книжный клуб «ЭКСМО»
101000, Москва, а/я 333. E-mail: bookclub@ eksmo.ru

Дистрибьютор в США и Канаде — Дом книги «Санкт-Петербург»
Тел.: (718) 368-41-28. **Internet: www.st-p.com**

Оптовая торговля:
109472, Москва, ул. Академика Скрябина, д. 21, этаж 2
Тел./факс: (095) 378-84-74, 378-82-61, 745-89-16
E-mail: reception@eksmo-sale.ru

Мелкооптовая торговля:
117192, Москва, Мичуринский пр-т, д. 12/1
Тел./факс: (095) 932-74-71

ООО «Унитрон индастри».
Книжная ярмарка в СК «Олимпийский».
г. Москва, Олимпийский пр-т, д. 16, метро «Проспект Мира».
Тел.: 785-10-30. E-mail: bookclub@cityline.ru

Отпечатано с готовых диапозитивов в Тульской типографии.
300600, г. Тула, пр. Ленина, 109.